Françoise Quaire et Clotilde Vaissaire
en collaboration avec Bruno Salléras

Les dossiers documentaires

Dossier outil, dossier produit, dossier électronique

Les auteures tiennent à remercier

Emmanuelle Bobichon (Chambre de commerce et d'industrie du Havre),

Agnès Caron (Centre d'information et de documentation jeunesse, Paris),

Laurent Garré (La Vie, Paris),

et Michèle Llosa (École de management de Normandie, campus du Havre)

pour leurs témoignages,

ainsi que Didier Frochot (Défidoc, Paris) pour sa contribution au chapitre sur le droit de l'information

et Bruno Salléras (Assurances générales de France, Paris) pour l'étude de cas qui illustre cet ouvrage.

N.B. : les chiffres entre crochets renvoient aux références biblio-sitographiques figurant pages 59 à 61.

ISBN 2-84365-081-X – ISSN 1773-729X

Sommaire

Introduction **5**

Typologie et finalités des dossiers **7**

1 Les différents types de dossiers 8

2 Des dossiers : pour qui ? pour quoi ? par qui ? 9

Quel public pour les dossiers ? 9

Quels besoins, quels usages ? 10

Les dossiers, outils de valorisation du centre de documentation . . 12

Créer un fonds de dossiers documentaires outils **13**

1 Connaître ses utilisateurs 14

2 Choisir les thèmes couverts par le fonds de dossiers 14

3 Élaborer les dossiers 15

Le choix des sources 15

La sélection des documents et des informations 16

Organiser le contenu du dossier 17

4 Les aspects matériels 17

Organiser et gérer un fonds de dossiers outils **19**

1 Le fonds de dossiers au quotidien 19

Traiter chaque élément du fonds : le dossier 19

Le fonds de dossiers : un sous-ensemble du fonds documentaire . . 22

Promouvoir le fonds de dossiers 23

2 Contrôler et évaluer le fonctionnement du fonds 24

Pourquoi et comment évaluer ? 24

Les indicateurs de fonctionnement 26

Les éléments financiers 27

Le dossier produit **29**

1 Qu'est-ce qu'un dossier produit ? À quoi sert-il ? 29

Un produit documentaire à valeur ajoutée 29

Le dossier produit au centre de la documentation 30

2 Comment réaliser un dossier produit? 30
Comprendre et analyser la demande 30
Construire le dossier 31
Mettre en forme le dossier 34

3 Vendre et promouvoir ses dossiers produits 35
Le marketing du dossier 35
Le coût des dossiers 36
La démarche qualité 36

Du dossier papier au dossier électronique 37

1 Informatiser la gestion des dossiers 37
Qu'est-ce qui peut justifier le maintien d'un fonds papier? 37
Pourquoi alors créer des produits électroniques? 38

2 Les dossiers électroniques 39
Les intégrer à l'existant 39
Qu'est-ce qu'un dossier documentaire électronique? 40
Les différents types de dossiers électroniques 40
Créer et gérer un dossier électronique 42
Les contraintes spécifiques 43
Gérer le changement 45

Dossiers documentaires et droit de l'information 47

1 Droit d'auteur, droit de copie, propriété intellectuelle...:
de quoi parle-t-on? 47
Quelques définitions relatives au droit d'auteur 47
Le droit de l'information 49
Propriété intellectuelle, informatique et Internet 49

2 Quelles conséquences pour les dossiers? 50
Le cas des dossiers documentaires avec texte intégral 50
Les autres types de dossiers électroniques: citations et liens 50
Auprès de qui négocier? 51

Conclusion 53

Annexes 55

Étude de cas
L'évolution de la politique de dossiers documentaires aux AGF 55

Biblio-sitographie 59

Introduction

Les dossiers documentaires sont apparus au XIXe siècle, lors du développement de la bibliothéconomie ; on peut se demander aujourd'hui, à l'ère de l'information électronique, si les dossiers documentaires sont encore d'actualité.

Évidemment, nous pensons qu'ils le sont, et plus que jamais, dans leur fonction du moins, tant leurs formes peuvent désormais varier. Et ce que nous développerons dans cet ouvrage, c'est à la fois le comment et le pourquoi de ce produit documentaire spécifique et multiforme.

Quels que soient leur support, leur forme et leur matérialité même, les dossiers répondent aux attentes des usagers sur plusieurs points : l'accessibilité, la synthèse, la sélection et la mise en forme d'informations.

Qu'est ce qu'un dossier documentaire, ou plus précisément que sont les dossiers documentaires ? De nombreux auteurs se sont essayés à une définition du dossier à partir de celle du Petit Robert : « Ensemble de pièces relatives à une affaire et placées dans une chemise. »

Nous pourrions dire qu'il est déterminé par :
- son type et son objectif de réalisation : dossier médical, dossier d'archive...
- sa forme : dossier carton, dossier suspendu...
- sa thématique : dossier juridique, dossier technique...

Mais ces définitions englobent des types de dossiers que nous ne traiterons pas dans cet ouvrage : nous nous concentrerons sur le dossier documentaire ou dossier de documentation, qu'il soit sous forme électronique ou sous forme papier. Les autres types de dossiers, tout aussi intéressants, ne concernent toutefois que rarement nos professions, et seulement en tant qu'objets documentaires à gérer et non comme outils et productions mêmes des professionnels de l'information-documentation. Nous n'aborderons pas non plus les épreuves de concours professionnels, sujet déjà traité dans un ouvrage précédemment paru à l'ADBS [24].

C'est donc essentiellement par ses objectifs et sa fonction que nous définirons le dossier documentaire, mais aussi et surtout par sa valeur ajoutée intrinsèque, produit de la compétence du professionnel qui l'a constitué. À travers cet ouvrage, version profondément remaniée d'un livre sur le même sujet publié chez le même éditeur en 1994 [20], nous souhaitons faire le point sur plusieurs thèmes essentiels : créer et gérer un fonds de dossiers outils, développer et valoriser des dossiers produits et surtout, question clé de nos jours, comment évoluer de façon optimale du dossier documentaire papier au dossier documentaire électronique ?

Typologie et finalités des dossiers

Selon le *Vocabulaire de la documentation* [22] publié en 2004, voici la définition du dossier documentaire : « Produit documentaire rassemblant un ensemble de documents de sources diverses, choisis et réunis sur une question donnée, et organisé de façon à faciliter l'accès à l'information rassemblée. »

Si l'on reprend celle utilisée dans un précédent ouvrage [24], le dossier documentaire se conçoit comme « un rassemblement de documents qui peuvent être de natures très diverses, et plus ou moins d'actualité. Tout dossier est réalisé avec un objectif de traitement d'information en vue d'un usage potentiel. On peut donc dire que le dossier documentaire réunit (en format papier comme en format électronique) un ensemble de documents primaires et/ou secondaires concernant une même thématique et regroupés en vue d'une exploitation intellectuelle. »

Marie-Anne Chabin [8], Dominique Cotte [11], Viviane Couzinet (*et al.*) [20] ont également contribué à définir le dossier documentaire. Il est possible de tenter une synthèse de ces travaux en attribuant au dossier documentaire les caractéristiques suivantes.

◆ C'est un contenant qui induit :
- une forme caractéristique : tous les dossiers n'ont pas nécessairement la même forme (chemises, cartons, dossiers suspendus, recueils de liens), mais lorsque l'on voit un dossier, on le reconnaît immédiatement comme tel ;
- une localisation : qu'elle soit physique ou virtuelle, les dossiers sont « localisés » dans un lieu spécifique ;
- un contenu matériel : un ensemble de documents, pages imprimées ou pages électroniques, photographies, plans, schémas, etc. ;
- un volume : un dossier est par essence volumineux, en tout cas pour ce qui concerne le support papier.

◆ Son contenu dénote :
- une fonction : tout dossier est conçu pour répondre à un besoin d'information sur un sujet précis ;
- une temporalité : un dossier est conçu à un moment donné (qui a une grande importance), pour une période donnée (tout dossier est ouvert et refermé à une date précise). Sa durée de vie est limitée dans le temps, même si parfois l'on peut constituer des dossiers historiques ou retraçant une évolution sur un sujet donné ;
- une caractéristique bibliothéconomique : rassemblant des documents, ils

sont eux-mêmes des objets documentaires. Et nous verrons plus loin comment les traiter comme tels.

◆ Conçu « en vue d'une exploitation intellectuelle », il a un objectif:
- le dossier doit répondre à la demande d'un utilisateur qui en fera un usage précis. Cet usage même détermine le contenu du dossier;
- puisqu'il rassemble des documents et des informations porteurs de sens, pour un usage bien déterminé, on peut dire que le dossier en lui-même porte un sens qui lui est propre, « supérieur à la somme des documents qu'il contient [11] », et qui correspond en quelque sorte à la valeur ajoutée produite par le travail du documentaliste.

Il y a donc trois axes interdépendants qui contribuent à la définition du dossier, et par là-même à la différenciation d'avec d'autres produits documentaires: il se détermine par son contenant, son contenu et ses objectifs. Ces axes ne correspondent pas à des formes figées mais plutôt à un ensemble de caractéristiques concernant la famille des dossiers documentaires.

◆ 1 Les différents types de dossiers

Les dossiers documentaires répondent à des types de besoins et sont destinés à des usagers variés, il existe donc pour répondre à ces demandes diversifiées différents types de dossiers. Nous traiterons ici de deux catégories qui nous intéressent plus particulièrement dans le cadre de cet ouvrage parce que ce sont les types de dossiers jusqu'à présent les plus couramment répandus dans nos professions: les dossiers documentaires outils (dans lesquels nous inclurons les dossiers de presse) et les dossiers documentaires produits.

Comme son nom l'indique, le « dossier outil » est un outil créé par le documentaliste à des fins de recherche d'information. Il est constitué d'informations et de documents se rapportant plus ou moins à une seule et même thématique. Les dossiers outils sont régulièrement alimentés par les documentalistes au fur et à mesure de leurs lectures, de leurs acquisitions, du dépouillement des revues. Cet enrichissement, souvent quotidien ou hebdomadaire, est assez chronophage, ce qui explique que les dossiers outils sont très peu organisés (le plus souvent par ordre chronologique), voire pas du tout.

Ces dossiers sont donc constitués afin de faciliter la recherche et pour gagner du temps à la fois pour le documentaliste lui-même, mais aussi pour ses utilisateurs, qui trouvent ainsi rassemblées toutes les informations relatives à une même thématique, sélectionnées par un professionnel.

Les dossiers outils sont particulièrement développés dans les centres de documentation des médias, d'écoles ou de centres de formation, ou encore de chambres de commerce et d'industrie. Ils s'adressent en fait à un public qui cherche avant tout une information assez exhaustive sur un sujet, afin de pouvoir glaner des idées, élargir sa réflexion et effectuer lui-même un tri en vue d'une exploitation ultérieure. Ces dossiers outils sont donc surtout un point de départ pour réaliser ensuite un produit.

Inversement, on peut avoir besoin de constituer un regroupement de documents pour répondre précisément à une demande ou à un besoin spécifique. C'est alors du « dossier produit » qu'il s'agit. Il est réalisé à partir des éléments d'un dossier outil, et enrichi par des recherches complémentaires au sein du fonds documentaire ou à l'extérieur. Parce qu'il correspond à une demande précise, faite dans l'urgence d'un besoin spécifique, il a une durée de vie limitée. Produit documentaire destiné à un utilisateur (ou à un petit groupe d'utilisateurs) pour un besoin donné, il est structuré, organisé, convenablement présenté.

◆ 2 Des dossiers : pour qui ? pour quoi ? par qui ?

Les dossiers sont donc le produit du travail d'un documentaliste, pour l'usage déterminé d'un utilisateur (ou d'une catégorie d'utilisateurs).

Ce produit va nécessiter un investissement en temps et en compétence ainsi qu'un investissement financier, même si ce dernier aspect n'est pas toujours pris en considération dans les centres de documentation : les dossiers, même les dossiers outils, ont un coût, nous le verrons dans les chapitres suivants. Il est nécessaire de mesurer au préalable ces investissements afin d'être certain que ceux-ci ne se font pas en pure perte. À cette fin, il convient de se poser un certain nombre de questions.

Quel public pour les dossiers ?

En premier lieu, les dossiers sont réalisés par un documentaliste ou une équipe de documentalistes. Il est donc nécessaire que ces professionnels aient une très bonne connaissance de l'environnement du centre de documentation, ce qui signifie connaître parfaitement l'organisme ou l'entreprise dans lequel ils travaillent (structure juridique, axes de travail, stratégie de développement, catégories de salariés et leurs besoins informationnels, politique d'information de l'entreprise, etc.) et son environnement externe, c'est-à-dire le secteur d'activité, la concurrence, le contexte économique, stratégique, etc.

Toute la politique documentaire est influencée par cet environnement, et donc *a fortiori* les dossiers documentaires le seront aussi.

Il faut ensuite rappeler que la documentation n'existe qu'en fonction de ses utilisateurs. C'est la connaissance et la prise en compte de leurs besoins qui permet au centre de documentation d'évoluer, d'être toujours en adéquation avec leurs attentes.

Il existe, bien entendu, plusieurs types d'utilisateurs potentiels des dossiers, avec des besoins multiples et différents, qui s'expriment de façons diverses, qui concernent des contenus variés et qui nécessitent des présentations distinctes. Il faut donc apprendre à bien connaître ses usagers, de manière à définir des types de besoins à la fois en termes de thématiques mais aussi de contenant, forme, niveau d'urgence, etc.

Une des premières questions à se poser : « Les utilisateurs souhaitent-ils pour leur travail actuel plutôt des dossiers outils ou plutôt des dossiers produits ? » Il faut aussi envisager l'évolution des habitudes et des contraintes de travail du public : « Le système actuel sera-t-il toujours efficace si le contexte se modifie et si les usagers fonctionnent différemment ? »

Quels besoins, quels usages ?

À quels besoins peuvent donc répondre les dossiers ? Selon les cas, le rôle du documentaliste sera différencié et le travail fourni ne sera pas le même pour la

Témoignage : Michèle Llosa

Pouvez-vous en quelques mots nous présenter votre Centre d'information ?
Le Centre d'information de l'École de management de Normandie offre aux étudiants et aux enseignants-chercheurs un fonds documentaire adapté aux deux programmes dispensés sur le campus : École supérieure de commerce du Havre (ESC) et IPER (Institut portuaire d'enseignement et de recherche). Spécialisé en gestion de l'entreprise, en transport et en logistique, le centre possède un fonds documentaire de 16 500 ouvrages, 220 périodiques, ressources électroniques (10), 1 300 cahiers de recherche, 1 750 rapports ou mémoires pour un public de 500 utilisateurs.

À votre arrivée au Centre d'information, il existait un fonds de dossiers outils, pouvez-vous en parler ?
Quand je suis arrivée, en septembre 1991, il n'existait pas de dossiers documentaires. Voulant développer les services pour nos utilisateurs, nous avons créé, en collaboration avec ma collègue, une cinquantaine de dossiers documentaires sur les sujets les plus demandés par les étudiants. Nous alimentions ces dossiers par le dépouillement quotidien de la presse et des périodiques. J'évalue ce travail, complété par la photocopie des articles sélectionnés et le classement dans les dossiers thématiques, à trois heures par jour pour un(e) documentaliste. Nous avons développé ce produit pour atteindre un chiffre de 200 dossiers. Cet accroissement a nécessité une organisation rigoureuse : liste des dossiers, répartition des thèmes entre les deux documentalistes, information auprès des utilisateurs, protection contre le vol et désherbage annuel. Notre public étudiant utilisait les dossiers mais s'appropriait aussi les documents ! Le travail devenait de plus en plus fastidieux car les dossiers les plus demandés (10 sur 200) n'étaient jamais à jour.

Vous avez alors décidé en 1995 de supprimer ce produit, pourquoi ?
Ce travail fastidieux, mentionné précédemment, l'évaluation approximative des besoins de nos utilisateurs et l'acquisition des cédéroms *Le Monde* et *Les Échos* en texte intégral ont eu raison des dossiers documentaires. J'ai pris la décision, en fin d'année universitaire, de tous les

demande d'un usager interne qui souhaite une information très sélectionnée, fiable, sur une thématique pointue, que pour celle d'un utilisateur externe qui attend plutôt un recueil d'informations exhaustives, même redondantes, afin d'effectuer lui-même ensuite un tri et une démarche complémentaire de recherche.

À chaque type d'utilisateur, correspond un type de besoin. L'objectif d'usage peut être catégorisé très schématiquement : s'informer, se former, décider, choisir ou agir.

Mais un utilisateur peut lui-même avoir des besoins différents en fonction du moment où il s'informe par rapport à son projet : au tout début, il recherche des idées et délimite progressivement son objectif de travail : ses besoins sont larges, exhaustifs. Il peut souhaiter à ce stade trouver des pistes auxquelles il n'avait pas pensé initialement ou élargir sa thématique. Une information peu sélectionnée, abondante voire redondante, lui sera utile. Dans un deuxième

École de management de Normandie

supprimer pour développer la formation à la recherche d'information.

Quelle a été la réaction du public du Centre d'information ?
Aucune réaction ou si minime que je regrette de ne pas avoir pris la décision plus tôt.

À votre avis, pourquoi personne ne s'en est aperçu ?
L'acquisition des cédéroms en texte intégral, l'arrivée d'Internet, le développement de la pédagogie « Méthodologie de la recherche d'information » ont permis la transition sans aucun problème. De la phase travail manuel (photocopie et classement des articles), les documentalistes ont évolué vers une fonction plus pédagogique.

Mais alors, il n'y a plus aucun dossier au Centre d'information ?
Les dossiers documentaires existent toujours, mais seulement à la demande. Notre direction ou les enseignants-chercheurs sollicitent notre service pour des thématiques précises sur un temps limité. Nous réalisons alors des dossiers produits en fonction de leurs besoins. La réalisation d'un dossier produit (environ une dizaine par an) mobilise l'ensemble de l'équipe.

Comment les étudiants font-ils leurs recherches ?
Les étudiants reçoivent, en début de cursus universitaire, une formation obligatoire et évaluée destinée à développer leur autonomie en recherche d'information. Les ressources électroniques, cédéroms et bases en ligne sont très utilisés sur tout le campus. Les références bibliographiques obligatoires pour tous les dossiers et rapports en sont une preuve.

Peut-on parler alors de dossiers produits électroniques, constitués selon leurs besoins par les usagers eux-mêmes ?
Je ne suis pas certaine que le terme soit bien adapté. Un « dossier produit électronique » me fait penser à « tout numérique ». Notre public étudiant doit être autonome pour la recherche d'information à partir des ressources documentaires papier ou électroniques. Par contre, le produit présenté au correcteur ou à l'entreprise est toujours sous forme papier.

temps, il aura besoin d'informations ciblées, structurées, voire synthétiques, afin d'affiner son travail et de préciser sa démarche. Enfin, quand son projet est en phase de finalisation, il a besoin de précision, de fiabilité de l'information afin de contrôler la qualité de son travail ; éventuellement pour vérifier certains faits ou l'état de ce qui est publié sur le sujet.

D'où l'importance de définir précisément le besoin d'information de son public, tant en ce qui concerne le thème que les conditions mêmes de la demande.

Les dossiers, outils de valorisation du centre de documentation

Pour répondre correctement à la demande, il est souhaitable que le documentaliste propose une information rassemblée, sélectionnée, triée selon une thématique fournie par l'usager ; ce qui implique de bien saisir la demande de l'utilisateur et de savoir la traduire pour s'assurer que cette information, ces documents sont les plus pertinents pour un usage donné : il faut que le dossier apporte un service, une valeur ajoutée à l'utilisateur et lui facilite l'accès à l'information qu'il recherche par la qualité des documents qu'il contient et par une organisation matérielle structurée, claire, synthétique qui convient aux habitudes de lecture de l'usager.

Toutes ces phases vont ainsi contribuer à produire un dossier documentaire de qualité, permettant de valoriser l'activité du centre de documentation. Il est important de prévoir dès le début l'utilisation des dossiers comme des outils marketing du centre de documentation. Pour cela, il faut être certain de la satisfaction de ses utilisateurs et il est donc nécessaire de l'évaluer régulièrement afin d'avoir en permanence un retour sur la qualité du travail fourni.

Il arrive quelquefois que la réponse à ces trois questions (public, usages, valorisation) conduise le centre de documentation à ne pas développer de fonds de dossiers documentaires outils. Cela ne veut pas nécessairement dire que les dossiers sont inutiles, mais ils peuvent alors être gérés différemment.

Créer un fonds de dossiers documentaires outils

◆◇◆

Rappelons que les dossiers outils possèdent les caractéristiques suivantes. Conçus *a priori*, ils sont élaborés à partir d'une évaluation d'un besoin global des usagers, en fonction d'une demande diffuse, que l'on peut qualifier de « moyenne ». Leur contenu est donc varié, large, il tend à l'exhaustivité et est parfois redondant. Ils doivent servir d'outils permettant d'élaborer un travail plus précis de sélection et de synthèse de l'information, mais à partir d'un certain nombre de documents déjà rassemblés. Ils visent à gagner du temps dans la recherche d'information. Ils sont continuellement mis à jour et alimentés. Ils sont souvent consultés et donc manipulés. Et par conséquent ils n'ont pas de véritable organisation interne ou bien alors sous une forme plutôt sommaire.

Mais les dossiers outils ne sont pas des documents isolés au sein du centre de documentation. En général au nombre de plusieurs dizaines, voire plusieurs centaines, les dossiers outils constituent bien un fonds à part entière qui exige tout d'abord un certain nombre de réflexions et de techniques lors de sa mise en place, puis une gestion et une organisation adaptées, questions traitées au chapitre suivant.

Pour mettre en place un fonds de dossiers documentaires outils, il est nécessaire de réfléchir aux points suivants :
- analyser le public destinataire des dossiers : qui sont les usagers potentiels (internes, externes, généralistes, spécialisés) ? Quels sont leurs besoins ? Quelles sont leurs pratiques (en terme d'information, quelles sont leurs sources ? quels documents leur sont plus familiers ? etc.) ? Quelles sont leurs attentes (en terme de services et produits) ?
- définir les thématiques à couvrir : quels sont les domaines prioritaires et leur degré de généralité ou au contraire de spécificité ? Quelle est l'actuelle politique d'acquisition ? Quelles sont les missions du centre de documentation ? Quelle est la thématique principale couverte par le fonds et y a-t-il des manques constatés ?
- définir les modalités de gestion documentaire de ce fonds de dossiers : quelles techniques documentaires appliquer aux dossiers (description, indexation, classement) ? Comment stocker et mettre en valeur le fonds ? Quel en sera le coût ? Quelles en seront les modalités de consultation ?

◆ 1 Connaître ses utilisateurs

Avant de constituer un fonds de dossiers, et avant même de se poser la question de savoir quelles thématiques y seront couvertes, il est important de bien connaître les utilisateurs et leurs besoins afin de pouvoir d'une part définir des types d'usages, et d'autre part mettre en place le fonds le mieux adapté à ces besoins par son organisation, par sa forme et par son contenu.

Rappelons toutefois que la démarche de mise en place d'un fonds de dossiers outils doit d'abord relever d'un « ressenti » de la part de l'équipe de documentalistes : tout d'abord ceux-ci doivent avoir envie et être motivés pour se lancer dans une telle entreprise ; d'autre part, ils doivent percevoir, dans les demandes d'information et de recherches du public, un besoin pas toujours exprimé d'outils qui leur faciliteraient l'accès à l'information.

Il existe de nombreuses techniques d'enquêtes qualitatives ou quantitatives permettant de mieux cerner les attentes des usagers. On trouvera page 61 les références de quelques ouvrages qui expliquent comment concevoir une enquête, définir un échantillon, élaborer un questionnaire, conduire un entretien, traiter les résultats, etc.

◆ 2 Choisir les thèmes couverts par le fonds de dossiers

Définir les thèmes couverts par le fonds de dossiers, voilà qui implique de (re)définir la politique documentaire. Cela ne peut se faire sans une vision d'ensemble du champ concerné. Il n'est pas question de démarrer au hasard sur des thématiques aléatoires. Le fonds de dossiers outils doit représenter un ensemble de thématiques cohérentes entre elles, complémentaires, afin de pouvoir ensuite, comme n'importe quel fonds, être amélioré, désherbé, évalué, comparé aux autres fonds.

Le choix des thèmes traités par les dossiers se fera à partir des résultats de l'enquête menée auprès des usagers, de la volonté ou non de couvrir l'ensemble des thèmes abordés par le fonds documentaire existant (on peut alors se reporter au plan de classement), de la volonté ou non de couvrir les lacunes thématiques perçues par rapport au fonds documentaire existant, de la mise en lumière de thèmes prioritaires, des types d'informations et de documents à sélectionner, du besoin de disposer en permanence sur certaines thématiques d'une information actualisée et précise, et de la nécessité d'assurer une veille d'actualités permettant d'anticiper des besoins à venir.

On peut se référer à un plan de classement ou à une classification existante au centre de documentation afin de lister les thèmes à mettre en place. Mais il faut retenir également que l'alimentation de ces dossiers nécessitera par la suite beaucoup de travail de la part des documentalistes ; il faut donc faire attention à ne pas débuter avec un nombre de dossiers trop important. Il est généralement conseillé de se concentrer dans un premier temps sur les thématiques centrales du service documentation, celles qui correspondent en priorité à sa mission et qu'on ne peut que difficilement trouver ailleurs.

◆ 3 Élaborer les dossiers

Le choix des sources

Pour créer, puis alimenter les dossiers, il faut connaître les diverses sources d'information qui relèvent prioritairement de la thématique concernée et leurs conditions d'accès.

Dans un même dossier, il sera nécessaire de panacher différents types d'informations et de documents afin de répondre au mieux à la demande la plus large des utilisateurs. En effet, un dossier se caractérise par une multitude de points de vue différents ou évolutifs sur un même thème.

Les sources d'information peuvent se classer en plusieurs catégories.

◆ Le fonds documentaire existant. C'est bien entendu là que l'on pourra trouver en premier lieu de quoi alimenter ses dossiers : les articles issus du dépouillement quotidien de la presse, la littérature grise reçue au centre de documentation (rapports, notes, etc.), les plaquettes, rapports d'activité d'entreprises, textes de loi, dessins, photographies, etc. Les dossiers outils sont également une solution simple pour regrouper tout un ensemble de documents épars sur des supports variés.

◆ Les ressources internes de l'entreprise. Souvent négligées, elles sont pourtant une source d'information importante : documents internes, notes de services, plaquettes d'information, etc. Les répertorier, puis les rassembler contribue également à l'une des fonctions importantes du centre de documentation : préserver la mémoire de l'entreprise.

◆ Les sources externes traditionnelles : centres de documentation, bibliothèques, ouvrages, revues, annuaires. Pour l'alimentation des dossiers outils, les sources externes ne seront pas nécessairement ni systématiquement interrogées. Mais lors de l'acquisition de documents ou lors de recherches d'informations ponctuelles, il est important de conserver en tête la liste de ses dossiers.

◆ Les producteurs ou diffuseurs d'information : l'administration, les organismes consulaires, la Documentation française, l'Insee, l'Inpi, etc., dont les documents de communication (catalogues, bibliographies, notes d'informations, etc.) constituent souvent des pistes pour effectuer des recherches complémentaires.

◆ Les sources informelles : par leurs programmes, leurs listes d'exposants ou de participants, les manifestations professionnelles, salons, congrès, journées d'information ou de formation sont également des sources d'information intéressantes pour les dossiers.

◆ L'environnement économique de l'entreprise ou de l'organisme : fournisseurs, sous-traitants, clients, concurrents, etc.

◆ Internet et les banques de données : sites ressources, pages web, revues électroniques, portails. Dans le cadre de dossiers numériques, Internet constituera l'une des principales sources d'information, mais rien n'empêche d'alimenter les dossiers également en numérisant des documents du fonds documentaire papier (sous réserve de respecter les droits d'auteur).

Comment savoir quelles sources privilégier ? Il est évident que l'accessibilité du fonds documentaire existant le rend primordial par rapport aux autres sources. Parfois, les dossiers outils ne sont alimentés qu'avec des articles extraits des revues dépouillées. Mais on peut retenir comme critères de sélection :
- le volume et le type de documents : que veut-on mettre dans ces dossiers en terme de stockage ? Souhaite-t-on séparer les simples feuilles volantes des gros rapports papier ? Les plans, schémas ou images des textes ? Quel format privilégier pour les documents ?
- la fiabilité de l'information et son actualité ;
- les moyens de mise à jour : comment assurer par exemple le suivi des textes juridiques inclus dans les dossiers ?

La sélection des documents et des informations

À la différence des boîtes d'archivage ou des compilations, un dossier outil se définit comme un ensemble hétérogène d'informations sélectionnées en vue d'une exploitation ultérieure. On peut se rappeler en effet que les documents diffèrent principalement par :
- la nature de l'information : factuelle (chiffres, statistiques, cotations, etc.), textuelle, sonore, iconographique ;
- la nature du support : papier, microforme, magnétique, maquettes, échantillons industriels ;
- le mode de diffusion ;
- le degré d'élaboration.

Même si, dans le cadre des dossiers outils, on reste dans une demande d'information large et permettant de satisfaire un maximum d'usagers, il est indispensable d'effectuer une sélection des informations et documents à insérer dans les dossiers. C'est de la qualité de cette sélection que va dépendre en partie la qualité du dossier constitué. C'est encore cette sélection qui va faire gagner du temps à l'utilisateur en lui fournissant un ensemble informa-

tif déjà cohérent même s'il n'est pas structuré ni organisé comme un dossier produit. Pour sélectionner efficacement, on peut retenir les critères suivants :
- critères liés au thème du dossier : l'objectif et le contenu du document correspondent-ils à ce dossier ? Le niveau d'information du document est-il adapté à mes usagers ? Le document présente-t-il une information supplémentaire, ou plus récente, ou plus originale que les autres documents déjà contenus dans le dossier ?
- critères liés à l'information : sa valeur se définit par son origine, sa date, son contenu, son public et son niveau d'élaboration. Ces éléments permettent d'apprécier sa nouveauté et sa durée de vie, ainsi que sa fiabilité. Dans le cas d'un document électronique, il est essentiel d'avoir bien repéré et évalué son auteur ou la fiabilité de l'organisme qui le met en ligne ;
- critères liés à la présentation : lisibilité : organisation de l'information (en chapitres ou structure du document électronique), qualité de la présentation (facilitant la lecture, couleurs, ou qualité de la photocopie) ; support de l'information : ce type de support peut-il être intégré tel quel au dossier ? Pour un document électronique : fiabilité de l'adresse.

Organiser le contenu du dossier

Les dossiers outils sont réputés pour être peu organisés. En libre consultation, ils sont énormément manipulés, ce qui rend difficile le maintien d'une organisation stricte. Mais il reste nécessaire d'assurer un minimum de structure interne aux dossiers afin que l'information reste accessible aux utilisateurs.

Les principaux modes d'organisation d'un dossier sont :
- thématique : selon les entrées de la classification, du plan de classement ou du thésaurus, mais aussi selon un découpage en sous-thèmes définis par les documentalistes en fonction de l'usage supposé (et/ou mesuré) des dossiers ;
- chronologique : il est d'usage de placer les documents les plus récents au-dessus de la pile, mais il est possible de les classer par années dans l'ordre naturel de leur publication ;
- typologique : on peut également classer les documents selon leur nature ou leur support.

Quelle que soit l'organisation choisie, il faut qu'elle soit matérialisée physiquement :
- en utilisant des chemises ou sous chemises différenciant les sous-thèmes ;
- en utilisant des fiches de renvois d'un thème à un autre (à l'image des liens d'association du thésaurus) ;
- en utilisant des couleurs ;
- en établissant un plan sommaire du contenu du dossier ;
- en veillant à maintenir les dossiers classés et en bon état.

◆ 4 Les aspects matériels

Il est également important de penser aux aspects matériels de la gestion des dossiers, tant pour des questions d'organisation de l'espace que de coût.

Une collection de dossiers nécessite :
- de la place : stocker des dossiers occupe des mètres carrés, élément à prendre impérativement en compte lorsqu'on dispose d'une surface réduite ;
- un budget d'investissement : il faut disposer d'étagères classiques sur lesquelles stocker des dossiers en boîtes d'archives ou dans des chemises à élastiques, ou d'armoires à dossiers suspendus, voire de meubles spécifiques pour dossier comme les tours, par exemple ;
- un budget de fonctionnement : les dossiers sont de gros consommateurs de fournitures diverses : chemises, boîtes, papier, étiquettes, etc.

La prise en compte de ces aspects matériels est essentielle pour la gestion budgétaire d'une part, mais aussi pour déterminer quelle sera l'accessibilité de ce fonds : en libre accès ou en accès contrôlé ? Les dossiers pourront-ils être prêtés ou non ?

Il faut prévoir à la fois :
- le matériel de rangement des documents : dossiers suspendus, boîtes d'archives (bien que peu pratiques en cas de manipulations fréquentes), casiers en plexiglas ou simples chemises à élastiques, le choix se fera à la fois sur des critères budgétaires, de maniabilité (et c'est important quand on alimente quotidiennement ses dossiers) et d'esthétique. Il faut aussi tenir compte de la durée de vie prévue pour ces dossiers et de leur fréquence d'utilisation ;
- le matériel de protection des dossiers ;
- le matériel d'organisation interne des dossiers (sous-chemises, étiquettes, etc.) ;
- le matériel de signalétique : étiquettes, titres, vignettes de couleur, etc.

En règle générale, il vaut mieux éviter tout ce qui est un obstacle à la maniabilité et à la bonne conservation des documents : préférer un scotch spécifique pour la conservation, éviter les agrafes qui finissent toujours par trouer les documents, ne pas faire des photocopies recto verso, etc.

Il faut prévoir également des armoires, rayonnages, meubles à tiroir qui soient pratiques, accessibles au public et qui s'intègrent dans le mobilier déjà existant au centre de documentation. Les critères de choix sont : le nombre de dossiers ; le taux annuel d'accroissement prévu ; les conditions de manipulation (pour les documentalistes, mais aussi pour les publics : si les armoires fermées peuvent rebuter les utilisateurs, les étagères ouvertes, en revanche, prennent la poussière) ; la surface disponible ; le type de documents à protéger (photographies ou plans par exemple).

Organiser et gérer un fonds de dossiers outils

◆◇◆

◆ 1 Le fonds de dossiers au quotidien

Lorsqu'ils sont en grand nombre, les dossiers documentaires constituent à eux seuls un fonds documentaire spécifique; et, comme élément de ce fonds, chaque dossier peut alors être traité en tant qu'unité documentaire. Au-delà du statut habituel de produit documentaire, le dossier apparaît aussi comme une ressource informationnelle à intégrer dans les opérations de gestion.

Traiter chaque élément du fonds: le dossier

Quel traitement documentaire?

Plusieurs options sont possibles, ces choix ayant bien entendu des conséquences non négligeables sur le travail documentaire fourni pour les dossiers, ainsi que sur le temps passé à les gérer.

Option n° 1: IGNORER LES DOSSIERS EN TANT QU'OBJETS DU FONDS DOCUMENTAIRE

Dans ce cas, les documents sélectionnés pour alimenter les dossiers ne sont pas intégrés dans la base de données du centre de documentation, ni les titres des dossiers eux-mêmes.

Avantages: l'alimentation des dossiers est extrêmement rapide et peut être quotidienne, les dossiers sont à disposition du public et il est possible de tenir à jour une simple liste des dossiers du fonds qui reprend les thèmes abordés.

Inconvénients: il est impossible de connaître vraiment la richesse de ce fonds et d'effectuer des recherches informatisées sur le contenu des dossiers. À chaque nouveau besoin, le documentaliste sera obligé de feuilleter les dossiers pour voir s'ils contiennent les informations qu'il souhaite. Une partie du temps gagné pour l'alimentation des dossiers sera ainsi de nouveau perdue pour la recherche. Ce mode de fonctionnement s'appuie essentiellement sur la mémoire des documentalistes et il semble surtout valable pour une information qui se périme vite et n'a donc pas besoin d'être enregistrée; ou encore pour un fonds au nombre limité de thématiques.

Option n° 2: TRAITER LE DOSSIER COMME UN OBJET DOCUMENTAIRE

Dans ce cas, on considère le dossier entier comme étant lui-même une unité du fonds documentaire, mais on ne tient pas compte de chaque document qui y est inséré.

Une fiche descriptive sera alors établie pour chaque dossier, précisant au minimum son titre, les types de documents qu'il contient, sa date de création (et éventuellement de fermeture), des mots clés ou le sommaire des thématiques abordées.

Cette fiche descriptive peut faire l'objet d'une notice de la base de données du fonds documentaire. Chaque dossier sera alors indexé afin que soient décrits le plus finement possible les thèmes abordés par les documents qu'il renferme.

Avantages: il est évident que les recherches sont alors possibles sur le contenu des dossiers. Cela permet d'avoir une vision plus globale du fonds documentaire.

Inconvénients: le temps passé à caractériser chaque dossier et à mettre à jour l'indexation lors de chaque ajout important. Si celle-ci est quotidienne, la charge de travail peut alors être considérable. Autre inconvénient (aussi présent dans le cas précédent): en cas de disparition d'un ou plusieurs éléments du dossier, il n'y a plus aucune trace de l'information disparue, hormis l'éventuelle mémoire des documentalistes.

Option n° 3: TRAITER CHAQUE DOCUMENT CONTENU DANS LE DOSSIER

Dans ce dernier cas, chaque document est traité à part entière, et au final le dossier lui-même n'est plus qu'un élément de classement des documents.

Cela implique un travail documentaire classique pour chaque document sélectionné: analyse du contenu, élaboration de la notice bibliographique, indexation, et éventuellement résumé.

Avantages: cela permet à la fois de garder une connaissance parfaite du fonds et d'effectuer des recherches très fines. On a alors une photographie qui correspond à l'ensemble des documents des dossiers.

Inconvénients: la charge de travail est importante. Il est bien évident qu'un tel travail ne s'applique pas aux fonds documentaires papier. Cette option est plus adaptée aux fonds électroniques, où la constitution des dossiers est une organisation informatisée d'un fonds en texte intégral.

Cette troisième option sera abordée plus en détail dans le chapitre consacré aux dossiers électroniques.

Comment alimenter le fonds et en contrôler le contenu ?

L'alimentation des dossiers se fait très régulièrement, et selon des critères similaires à ceux de la politique d'acquisition :
- la mise à jour dépend des informations reçues au centre de documentation mais aussi des informations que peuvent repérer les documentalistes au hasard de leurs recherches documentaires ;
- les critères de sélection des documents seront évidemment la pertinence, la fiabilité, l'actualité des informations, mais aussi et surtout leur utilité pour le public.

Comme le souligne Agnès Caron, responsable du centre de documentation du CIDJ, il est nécessaire que la sélection soit effective et corresponde à un certain nombre de critères préalablement définis afin de ne pas encombrer les dossiers, surtout s'ils sont déjà très nombreux. Vouloir *a priori* tout mettre dans les dossiers « au cas où » ne sert qu'à les rendre moins efficaces pour une recherche d'information ultérieure. Ce qui renvoie à l'importance de l'analyse préalable des besoins des utilisateurs afin de délimiter au mieux l'adaptabilité et l'usage cohérent des dossiers outils.

Témoignage : Agnès Caron **CIDJ**

Le Centre d'information et de documentation jeunesse (CIDJ) est un observatoire sur les jeunes pour le monde des professionnels (organismes, administrations, etc.), il effectue donc une veille sur de nombreux sujets. La documentation y occupe une place centrale : elle produit beaucoup d'informations sous forme de synthèses. Les dossiers ne sont pas vendus ni diffusés à l'extérieur, mais sans doute à terme les synthèses seront-elles diffusées à partir du web.

Les dossiers outils occupent une place prépondérante au centre de documentation : ils sont au nombre de 500 environ, pour 1 500 ouvrages et 300 titres de revues dépouillées.

La sélection des documents à insérer dans les dossiers est sévère (il ne faut pas les encombrer) et est assurée par les documentalistes. C'est une aide-documentaliste qui se charge de l'insertion des coupures de presse dans les dossiers.

Les dossiers existent au CIDJ depuis toujours, et les usagers ont pris l'habitude de les utiliser. Ils sont rangés par ordre thématique.

Les dossiers sont très régulièrement désherbés, il n'y a pas d'archivage puisque le CIDJ ne travaille que sur l'information d'actualité, et les fiches de synthèse sont systématiquement refaites tous les ans (415 fiches ont été rédigées en 2002). Les documentalistes assurent par ailleurs une veille sur les nouveaux thèmes potentiels et préparent des dossiers de façon prévisionnelle.

Les dossiers sont composés de documents divers : articles de presse, brochures, plaquettes, etc.

Les dossiers produits sont élaborés sur demande, à partir des dossiers outils, mais aussi de la base de données interne et des diverses références présentes au centre de documentation.

Il est ainsi nécessaire de régulièrement contrôler le contenu des dossiers afin que chacun reste en adéquation avec son thème et avec les besoins des usagers, et que l'information reste pertinente et d'actualité.

Il est conseillé de vérifier régulièrement les dates des documents, et de ne pas hésiter à épurer le dossier en jetant tous les documents obsolètes. Un désherbage régulier des dossiers est vraiment essentiel (voir page 23 pour plus de détails sur le sujet).

Le fonds de dossiers : un sous-ensemble du fonds documentaire

Le fonds de dossiers peut être un sous-ensemble du fonds documentaire et il cohabite alors avec les ouvrages, les usuels, etc. Dans certains cas, comme par exemple dans les centres de documentation de presse, il peut constituer le cœur même de l'activité documentaire.

Organiser le fonds

Comme pour tout fonds documentaire, il est nécessaire de définir un mode de classement des dossiers. Selon la nature des informations rassemblées et les besoins des publics, le classement peut être :
- thématique : en correspondant à un plan de classement spécifique aux dossiers, parce que ceux-ci par exemple ne couvrent pas l'intégralité des thématiques du centre de documentation, ou bien calqué sur le plan de classement général utilisé à la documentation ;
- fonctionnel : il reprend les différents services et directions internes pour lesquels les dossiers sont constitués ;
- chronologique : quoique cette organisation ne soit que très peu utilisée, elle peut dans certains cas avoir un sens ;
- alphabétique : choix classique et d'usage facile pour les dossiers concernant les fournisseurs, les concurrents, les pays ou encore les personnalités : tout ce qui correspond le plus souvent à un nom propre et non à un concept.

Mais, bien souvent, le fonds de dossier est divisé en sous-ensembles qui peuvent avoir des classements différents : une collection de dossiers pays par exemple sera classée par continents, et une collection de biographies par ordre alphabétique.

Afin de faciliter l'accessibilité du fonds, il est souhaitable d'envisager des outils d'information précieux pour les utilisateurs comme un catalogue des dossiers, ou *a minima* une simple liste des titres de dossiers affichée à proximité du lieu de rangement. Il est aussi recommandé de distribuer systématiquement aux nouveaux arrivants le catalogue ou la liste, également disponible si possible sur l'intranet.

Vie et mort des dossiers : le désherbage

Désherber est nécessaire pour plusieurs raisons. Afin que le contenu des dossiers reste pertinent pour les utilisateurs, il est important d'en éliminer régulièrement les documents obsolètes, ainsi que les dossiers eux-mêmes s'ils ne sont plus intéressants (archivage envisageable dans les contextes de conservation historique).

Le désherbage apporte lui aussi une valeur ajoutée au fonds de dossiers et, indirectement, aux réponses données aux usagers. Car éliminer les documents obsolètes, c'est éliminer du bruit ; et on gagne ainsi du temps à la recherche.

On obtient également un gain de place, ce qui permet par la même occasion de réaliser des économies. Enfin, grâce au désherbage, on peut réévaluer l'ensemble du fonds de dossiers, sa couverture thématique, pour éventuellement le restructurer ou du moins le réorienter.

En conséquence, la conduite du désherbage nécessitera de prévoir s'il peut être effectué régulièrement (à une date donnée), comment il peut être planifié dans les activités du centre de documentation, et de définir les critères d'élimination des documents ou des dossiers.

Ceux-ci peuvent être :
- des critères de date : date de péremption des informations (on ne garde les documents que durant trois ans, par exemple), date de mise à jour des fiches de synthèse (comme au CIDJ), etc. ;
- des critères de durée de vie : dans une documentation fortement liée à l'actualité, les informations ont une durée de vie plutôt courte, mais des informations de fond doivent cependant être conservées ;
- des critères de pertinence : rester en permanence en phase avec les thématiques traitées par l'entreprise et les collaborateurs ;
- des critères de forme : durée de vie, de lisibilité des supports ;
- des critères de stockage : si les mêmes informations peuvent être conservées sous forme numérique, pourquoi en garder un double papier ?
- des critères de place.

Promouvoir le fonds de dossiers

Assurer la promotion des dossiers documentaires outils, c'est informer ses utilisateurs de leur existence et des éventuels changements, expliquer leur mode de constitution, leur organisation, leur contenu afin que les utilisateurs puissent s'en servir plus efficacement, c'est enfin inciter les non-utilisateurs à venir découvrir ces produits.

Le premier et le meilleur outil de communication pour les dossiers sont les dossiers eux-mêmes : leur qualité et la satisfaction des utilisateurs seront le meilleur vecteur d'une bonne image à la fois du produit, de la compétence des professionnels qui l'ont conçu, et par là-même du centre de documentation dans son ensemble.

Leur qualité se traduira par leur pertinence par rapport aux besoins, leur actualité et la fiabilité des informations fournies, mais également leur maniabilité, leur aspect extérieur.

En effet, l'aspect visuel des dossiers est la première impression ressentie par les utilisateurs. Il faut donc soigner leur présentation et leurs matériaux, les photocopies doivent être de bonne qualité, le stockage harmonieux et accessible, etc.

Et il vaut mieux éviter autant que possible le dossier outil si volumineux dans sa chemise qu'il est quasiment impossible de s'en saisir sans risquer de tout retrouver par terre dans la minute qui suit !

Le deuxième moyen de promotion des dossiers reste la signalétique et les produits de signalement : une liste des dossiers affichée sur le mur et diffusée sur l'intranet documentaire, un catalogue détaillé sous forme informatique, une signalisation claire sur les étagères constituent un excellent moyen d'attirer les visiteurs.

Enfin, la communication informelle, orale, lors de discussions ou lors de réunions, est également un excellent outil de communication. Sans même mentionner le « bouche à oreille » qui demeure le plus fugace mais néanmoins le plus efficace vecteur de promotion. Celle-ci dépend également du type de public auquel on s'adresse :
- un public interne déjà convaincu de leur utilité : dans ce cas une démarche informelle peut suffire (rappeler que les dossiers existent, informer d'un changement ou d'une nouvelle thématique, etc.) ;
- un public interne qui fréquente habituellement peu le centre de documentation : dans ce cas la mise en place du fonds de dossier peut être l'occasion d'une opération de communication plus globale ;
- un public interne habitué à utiliser d'autres fonds de dossiers (d'autres services ou d'autres organismes) : la comparaison est alors facilement faite par eux et il faut en tenir compte !
- un public externe : dans ce cas tous les moyens de communication cités plus haut seront pertinents.

La politique de communication et de promotion des dossiers outils se situe dans la durée. Le fonds se construit sur une certaine période, il évolue aussi. Il faut donc régulièrement communiquer sur ces évolutions, sur les nouveautés.

◆ 2 Contrôler et évaluer le fonctionnement du fonds

Pourquoi et comment évaluer ?

L'évaluation du fonds de dossiers outils, et de son fonctionnement, doit être faite régulièrement, afin de mieux estimer la qualité et la pertinence du fonds pour le réajuster éventuellement, enlever ou ajouter des dossiers afin de conserver la cohérence de la couverture thématique par rapport aux besoins des publics, négocier un budget ou un projet lié aux dossiers (pourquoi pas celui de passer de dossiers papier à des dossiers électroniques ?), et évaluer sa propre activité pour une meilleure argumentation avec la hiérarchie.

En bref, penser à régulièrement évaluer son fonctionnement permet d'avoir une vision objective et en temps réel du fonds de dossiers, de programmer son évolution et d'avoir des éléments pour anticiper.

Témoignage : Laurent Garré **Journal *La Vie***

Le centre de documentation fonctionne avec quatre personnes, dont deux sont spécifiquement affectées à la gestion des dossiers, même si tout le monde y participe.

Le dossier documentaire est central dans les activités : 70 % de celles-ci concernent le dossier, et 70 % des prestations offertes par la documentation tournent aussi autour du dossier.

Les dossiers outils apparaissent comme base de départ pour répondre à des questions, mais ils peuvent être complétés par d'autres sources. Ils sont consultables sur place, rarement empruntés (il s'agit d'un public interne uniquement composé de journalistes).

Le dossier est conçu pour surprendre le lecteur quand il le feuillette : c'est en le parcourant qu'il doit pouvoir rebondir sur d'autres idées, d'autres sujets. Il faut aider le journaliste à associer les dossiers les uns aux autres, et c'est pour cette facilité de manipulation que les dossiers restent au format papier. À quoi servent les dossiers ? À « nourrir la réflexion, gamberger, mouliner » (termes utilisés par les journalistes).

La sélection pour alimenter les dossiers est très sévère : les journalistes ont d'autres sources d'information, donc il faut innover, surprendre, traquer l'information rare.

Avec la généralisation d'Internet, les demandes sont moins nombreuses, mais la qualité des recherches est par contre plus forte : elles deviennent plus longues et plus intéressantes.

Les dossiers se répartissent ainsi : dossiers pays, classés par zones géographiques ; dossiers thématiques (les plus nombreux) ; dossiers biographies, classés par ordre alphabétique ; dossiers entreprises.

Ils sont tous de couleurs différentes. À l'intérieur de chaque dossier les documents les plus récents sont en premier, un tampon de date de couleur permet également d'en repérer plus facilement l'année.

La communication sur les dossiers se fait de manière tout à fait informelle, au quotidien, ou bien en comité éditorial, par exemple.

Les dossiers produits sont plus rares : 50 % des demandes concernent un dossier outil, et 25 % concernent plusieurs dossiers à la fois. Mais, de temps à autre, une demande plus complexe nécessite la réalisation d'un dossier produit.

Laurent Garré reste très prudent quant à un passage vers des dossiers électroniques : il n'y a pas véritablement de demande de la part de son public composé de journalistes qui préfèrent le support papier.

Cette évaluation est bien souvent réalisée de manière intuitive, mais la formaliser permet de mesurer des écarts parfois énormes entre une vision subjective et la réalité.

Il s'agira alors de mettre en place la mesure d'un certain nombre d'indicateurs qui peuvent être qualitatifs (qualité des produits, du service rendu mesuré par la satisfaction client, etc.), ou quantitatifs (volume d'activité, surface occupée, articles photocopiés, etc.).

Cette évaluation sert également à élaborer le tableau de bord annuel du centre de documentation, à offrir à la politique documentaire d'importants arguments pour une éventuelle réorientation du fonds, et à rédiger le rapport d'activité annuel.

Reflet de l'activité propre à la fonction, la diffusion des résultats de cette évaluation s'inscrit clairement dans la communication et la promotion du service documentation.

Les indicateurs de fonctionnement

Les indicateurs s'organisent autour de deux axes, éventuellement complémentaires, qui ne mesurent pas les mêmes données : l'axe quantitatif et l'axe qualitatif.

Les indicateurs quantitatifs

Ils permettent d'élaborer des statistiques pour quantifier et donc pour suivre l'évolution de l'activité. Ces indicateurs n'ont de sens que s'ils sont établis sur plusieurs années (dans une vision évolutive), et s'ils sont mesurés par rapport à des critères préalablement définis, et liés aux autres indicateurs relevés plus globalement pour le centre de documentation.

En effet, à quoi cela sert-il de savoir que cinquante dossiers sont consultés par semaine, si l'on ne peut comparer ce chiffre à la fois au nombre total de dossiers, au nombre de lecteurs, aux autres types de consultation (des ouvrages, des revues, etc.) ?

Exemples d'indicateurs :
- indicateurs temporels : temps passé à l'alimentation quotidienne des dossiers, au classement des documents dans les dossiers (ou bien au rangement des dossiers s'ils sont en libre accès comme dans certaines médiathèques), au désherbage, etc. ;
- indicateurs volumétriques : nombre de documents intégrés quotidiennement dans les dossiers, nombre de photocopies faites exprès pour les dossiers, nombre de dossiers gérés, etc. ;
- indicateurs d'usage : nombre d'accès quotidiens par les utilisateurs, nombre de demandes quotidiennes concernant les dossiers, nombre de prêts (ou de photocopies), nombre de vols ou disparitions de longue durée. Ils permettent de savoir quels services de l'organisme, ou quels types d'usagers utilisent les

dossiers, et ainsi de repérer le *best of* et *a contrario* la liste des dossiers qui ne sortent jamais ;
- indicateurs matériels : nombre de fournitures consommées pour les dossiers (coût mensuel par exemple), surface occupée (en mètres carrés ou en mètres linéaires) par les dossiers.

Les indicateurs qualitatifs

Évaluer la qualité d'un produit ou d'un service est à la fois plus difficile et plus intéressant. S'il est difficile de cerner la satisfaction, l'appréciation des usagers, c'est aussi souvent grâce aux indicateurs qualitatifs que l'on peut établir des choix face à deux activités aux critères quantitatifs similaires.

Évaluer la qualité d'un dossier ou d'un fonds de dossiers, c'est réussir à en établir : la fiabilité (pertinence, validité, actualité de l'information par rapport aux besoins des usagers) ; la présentation (forme, matériaux utilisés, accessibilité du fonds et ergonomie de l'espace réservé à leur usage) ; l'évolutivité (mise à jour, ajout et suppression de dossiers en fonction de l'évolution des besoins des utilisateurs) ; la régularité (temps passé, personnel nécessaire à sa gestion) ; la satisfaction des utilisateurs.

Les éléments financiers

Enfin, une évaluation passe également par une bonne vision du coût d'une fonction. Il est essentiel de disposer d'éléments financiers pour :
- prendre une décision, qu'elle soit une évolution fonctionnelle, le choix d'un nouveau produit documentaire ou au contraire la décision d'arrêter un service ;
- ajuster ses ressources et ses moyens à son activité ;
- s'adapter aux contraintes de coûts pour une meilleure productivité ;
- prévoir les investissements nécessaires à un nouveau projet.

Il est possible de mesurer les éléments financiers en vue d'une approche fonctionnelle ou productive :
- approche fonctionnelle : combien me coûte tous les mois la gestion de mon fonds de dossiers papier ? Combien me coûterait un fonds électronique ? Combien me coûte une mise à jour quotidienne des dossiers par rapport à une mise à jour hebdomadaire, mensuelle...
- approche productive : combien coûte la constitution d'un dossier ? Combien coûtent les photocopies pour alimenter les dossiers ? Etc.

Bien entendu, cette évaluation financière ne peut être séparée des indicateurs quantitatifs et qualitatifs, mais elle fait aussi partie des critères de choix ou d'appréciation d'une activité.

Le dossier produit

◆ ◇ ◆

◆ 1 Qu'est-ce qu'un dossier produit? À quoi sert-il?

Un produit documentaire à valeur ajoutée

Le dossier produit est un produit documentaire à forte valeur ajoutée, par opposition au dossier outil, qui est plutôt un simple outil de recherche. Le dossier produit est au contraire un produit fini, fruit du travail et de la compétence du documentaliste en réponse à une demande précise qui lui a été faite dans un contexte et pour une utilisation spécifiques.

On peut ainsi dire que le dossier produit répond à une demande, en fournissant au demandeur un certain nombre de documents et d'informations sélectionnés et organisés, mis en forme et présentés, pour un usage déterminé et spécifique au commanditaire.

Il est souvent réalisé à partir des éléments d'un ou plusieurs dossiers outils, mais aussi grâce aux documents présents au centre de documentation, aux documents internes de l'entreprise ou de l'organisme ou aux informations électroniques trouvées sur Internet ou dans des bases de données externes.

Du fait de son orientation très spécialisée, il s'adresse à une personne précise pour un usage unique; il a donc une durée de vie limitée. Il peut être réactualisé, mais il est le plus souvent refait.

Son degré d'élaboration, son objectif, le fait même qu'il soit une réponse à la demande d'un usager, font que sa mise en forme est élaborée: un dossier produit est obligatoirement structuré, organisé en sous-dossiers thématiques, avec un sommaire et une introduction en forme de synthèse qui permettent à l'utilisateur d'aborder facilement le produit. On ne rentre pas dans un dossier produit comme dans un dossier outil car on n'y cherche pas du tout la même chose.

Il existe cependant une forme particulière de dossier produit que l'on appelle dossier d'œuvre. On le trouve plus spécifiquement dans les musées. Il s'agit de réunir – pour une œuvre donnée (un tableau, une sculpture, un objet d'art, etc.) – tous les documents permettant de mieux la comprendre: documents sur l'artiste, sur l'histoire de l'œuvre, ses photographies, son contexte historique, bref tout document qui, de près ou de loin, concerne cette œuvre. Ces dossiers d'œuvres sont utiles à la fois pour un public interne au musée : conservateurs, chargés d'études documentaires, responsables d'expositions ; mais également pour un public externe et particulièrement les chercheurs ou collectionneurs. Les dossiers d'œuvres sont alors conservés et régulièrement mis à jour.

Le dossier produit au centre de la documentation

Les dossiers produits se situent pour leur part en fin de chaîne documentaire (après la collecte et le traitement) avec la diffusion, et représentent la justification même de l'existence du centre de documentation : en effet l'évaluation qui sera portée sur un service de documentation, son utilité, sa compétence, se fera essentiellement sur cette partie émergée de l'iceberg documentaire, c'est-à-dire sur les produits documentaires. Information préalable, gain de temps ou d'énergie, aide à la décision : quand ils sont bien conçus et régulièrement évalués, les dossiers produits sont bien plus qu'une simple vitrine. Ils peuvent constituer en fait l'un des éléments de la stratégie du service documentaire. Ils deviennent la réponse qualitative et adaptée aux attentes d'un public de plus en plus exigeant, pressé et évolutif.

◆ 2 Comment réaliser un dossier produit ?

Comprendre et analyser la demande

Réaliser un dossier produit consiste avant tout à satisfaire la demande d'un utilisateur par rapport à un besoin. Il est donc essentiel de bien comprendre la demande qui a été faite afin de mieux cerner son sujet, mais aussi de comprendre quel est le besoin de cet utilisateur, quel usage il compte faire de ce dossier produit.

À cette fin, il faut impérativement dialoguer avec le demandeur pour lui poser les questions indispensables :
- quel est l'objet de sa recherche ? Cette étape va nous permettre ensuite de mieux cerner le sujet ;
- quel est son niveau d'information sur le sujet ? Il est important de savoir rapidement si l'on a affaire à un spécialiste de la question, qui ne recherche que des éléments d'informations pointus, ou si au contraire le demandeur souhaite en fait mieux comprendre le thème et le cerner dans sa globalité ;
- quels sous-thèmes souhaite-t-il voir aborder ? Ce qui nous permet également de mieux comprendre le sujet ;
- quelle est la période de recherche ? Afin de mieux délimiter la recherche ;
- quels types de documents souhaite-t-il privilégier ou exclure ? Il s'agit là de déterminer quelle est la capacité de lecture de notre demandeur, s'il préfère du texte exhaustif ou plutôt des schémas ou des diagrammes, bref quel est son vecteur privilégié d'accès à l'information ;

- quel est le délai souhaité de réalisation du travail ? Il faut certes demander à son interlocuteur si sa demande est urgente, ou non, mais il faut également lui indiquer quel sera notre propre délai de travail pour qu'il n'idéalise pas un temps de réponse trop court.

Une fois ces données clarifiées, il est opportun d'aborder sa recherche avec le questionnement classique : qui, quoi, où, quand, pourquoi, comment ?

Qui : quel est l'utilisateur ? Quelle est la nature de l'usager : étudiant, cadre, chercheur, journaliste... ? Quelle est sa fonction ? Quel est son niveau de connaissance du sujet ? Généraliste, spécialiste, technique ?

Quoi : qu'est-ce qu'il demande ? Quels sont les termes du sujet ? Quelles informations sont demandées ? Dans tous les cas, il faudra répondre à ce qui est explicitement (ou parfois implicitement) exprimé, « décortiquer » le sujet. Bien souvent, le demandeur a formulé un besoin direct mais il n'a pas formulé ses attentes indirectes. Par un questionnement, il va falloir essayer de les trouver, et d'indiquer si l'on peut y répondre.

Pourquoi : qu'est-ce qu'il veut faire ? Quels sont les objectifs de la demande ? Pour répondre à quels usages (s'informer, se former, rendre compte, prendre une décision...) ?

Comment : y a-t-il des circonstances spécifiques à la demande (projet de loi en préparation par exemple), un contexte particulier (réforme en cours), un cadre d'utilisation précis (pour illustrer un colloque sur le sujet), des angles spécifiques de travail ?

Quand / Où : périodes ou critères géographiques précisés ?

L'ensemble des réponses apportées à ces questions de base permet déjà d'orienter utilement les recherches, de savoir par exemple si le dossier outil pressenti correspondra à la demande ou bien s'il faudra créer un dossier *ex nihilo* ou encore en mélangeant plusieurs types de ressources (cas le plus fréquent). Cette première analyse constitue en fait les fondements de la recherche d'information ; elle fournit aussi les bases sur lesquelles doit s'instaurer idéalement un dialogue entre le demandeur et la personne qui va réaliser le dossier produit « sur mesure », pour peaufiner d'éventuels aspects secondaires pas nécessairement perçus lors de la commande initiale.

Construire le dossier

Pour construire son dossier, il est recommandé de suivre plusieurs étapes :
- effectuer une recherche d'informations ;
- analyser et sélectionner les documents trouvés ;
- les organiser pour répondre au mieux à la demande.

Bien que souvent constitué surtout d'articles de presse papier ou électronique, le dossier produit peut être alimenté avec tous types d'informations et de documents, sans restriction de départ: textes de lois, textes réglementaires, arrêtés; données chiffrées, statistiques; schémas, images, photographies, dessins; articles de revues spécialisées ou de presse généraliste, interviews; extraits d'ouvrages, de rapports, de documents internes; extraits d'ouvrages publiés; plaquettes d'information, documents publicitaires, tracts, documents de communication; liste d'adresses, listing de bases de données, bibliographies; extraits de sites Internet. Seules la demande et éventuellement des considérations matérielles sont en mesure de restreindre ce choix.

Comment analyser et sélectionner les documents?

Il faut effectuer une lecture rapide du document et en faire ressortir les principales informations de contexte: typologie du document, source, date, auteur, etc.

Témoignage: Emmanuelle Bobichon

Le Service d'information économique (SIE) de la Chambre de commerce et d'industrie du Havre fonctionne avec cinq personnes, dont deux documentalistes et une chargée de mission information économique. Le fonds porte sur les thématiques propres à l'activité de la CCI, c'est-à-dire sur l'économie et tous les domaines liés à la vie des entreprises, au plan local, national et international.

Le public est composé essentiellement des entreprises, créateurs d'entreprises, institutionnels de la région, et parfois de quelques étudiants pour le public externe. Le SIE s'adresse aussi en priorité à son public interne: les salariés de la CCI.

La base de données documentaire contient environ 55 000 références (articles et ouvrages) et le SIE gère environ 700 abonnements.

Le SIE possède depuis de nombreuses années un fonds de dossiers outils papier, au nombre de 1 500 environ. Les dossiers sont alimentés par des articles, brochures, fascicules et tous types de documents pouvant s'intégrer matériellement au dossier. Ils se divisent en trois fonds particuliers:
- le fonds international: avec des dossiers pays (classement par continent, puis par ordre alphabétique), et des dossiers techniques spécifiques (*incoterms*, techniques de commerce international, etc.), qui ont alors un classement thématique. Les sujets et les mots clés sont choisis à partir du thésaurus du commerce international;
- le fonds national et le fonds local: avec des dossiers thématiques (classés par ordre alphabétique) et des dossiers entreprises (dans lesquels on trouve à la fois les articles parus sur l'entreprise et les documents internes, de type rapport d'activité annuel par exemple). Ces fonds sont indexés à partir du thésaurus Delphes.

Les dossiers étaient auparavant alimentés quotidiennement, mais dans la mesure où de plus en plus de documents arrivent par voie électronique, la mise à jour est aujourd'hui moins régulière. La sélection des documents papier est très stricte pour ne pas surcharger les dossiers, et le désherbage est fait annuellement par parties.

La création de nouveaux dossiers se détermine par anticipation des besoins, ou en fonction de l'arrivée de nouvelles publications. Il n'y a aucun marketing des dossiers, le public étant bien habitué à leur consultation.

Pour cela, il faut donc savoir très rapidement où trouver l'information essentielle : en lecture rapide en général on regarde le titre et les sous-titres, le chapeau ou le résumé, les légendes des schémas, les caractères en gras, bref tout ce qui « saute aux yeux » et qui peut donner une première impression sur le document et sur son contenu informationnel.

Il faut réfléchir à la pertinence du document par rapport à la demande qui a été faite et par rapport au demandeur :
- pour quel type de public ce texte a-t-il été écrit ?
- que peut-on en extraire ? des descriptions de faits ? des réflexions, des commentaires ? des expériences, des exemples ? ou des témoignages ? un état de la question ? une démonstration ?

CCI du Havre

Ces dossiers papier sont essentiellement consultés par les étudiants (mais toujours avec la médiation des documentalistes, qui font à partir des dossiers outils une pré-sélection selon les besoins). Pour les autres publics, ce sont plutôt des dossiers produits qui sont réalisés, notamment pour le public interne.

Par exemple, le service promotion internationale donne en début d'année au SIE le calendrier des missions prévues, et le SIE peut ainsi préparer pour chaque mission un dossier produit pays qui sera remis une semaine environ avant le départ de la mission. Ces dossiers produits réalisés pour un public interne sont facturés symboliquement pour un prix inférieur à leur coût réel.

En 1998, le centre de documentation a acheté le logiciel de GED Dip Maker, complété ensuite par les modules Dip Web et Dip DSI. L'informatisation du SIE a peu à peu fait émerger l'idée de gérer les dossiers sous forme électronique.

Pour chaque article, les documentalistes créent une notice divisée en trois zones : une zone de catalogage (titre, auteur, source, etc.), une zone résumé et une zone descripteur. Le texte intégral du document (soit téléchargé par voie électronique, soit numérisé) est ensuite rattaché à la notice (sous format image, ce qui ne permet pas de faire des recherches plein texte sur le document). La démarche de rattacher un document n'est pas systématique, elle est faite pour la presse locale mais pas pour tous les articles de la presse nationale.

Ensuite, en fonction des besoins, les documentalistes réalisent des dossiers produits en interrogeant la base (et grâce au module DIP DSI qui permet des stratégies de recherche ciblées en fonction des besoins définis par le destinataire lors de sa rencontre avec le documentaliste). Ces dossiers produits sont ensuite soit envoyés à leur destinataire par voie électronique, soit remis en mains propres après une impression. Les documentalistes participent à l'alimentation de l'intranet, mais n'ont pas pour le moment développé de dossiers électroniques en ligne.

Enfin, la Chambre de commerce et d'industrie a passé une convention avec le CFC (Centre français pour l'exploitation du droit de copie) pour les photocopies et la revue de presse interne. Aucun document en texte intégral n'est diffusé à l'externe (en cas de besoin, les documentalistes diffusent une copie par fax ou courrier, copie intégrée au décompte envoyé au CFC).

Pour réaliser cette analyse fine, il faut dégager les thèmes et concepts contenus dans le document. C'est une démarche relativement identique au processus d'indexation, mais qui doit s'effectuer de manière très rapide :
- de quoi traite le document ?
- quels sont les principaux éléments abordés pour illustrer ce thème ?

Penser également à noter quel est le niveau de lecture du document (généraliste, spécialisé...), cela peut aider à choisir parmi les documents redondants les plus adaptés au type de public concerné.

Toutes ces opérations se réalisent souvent de manière intuitive, sans que l'on y pense, mais servent au final à élaborer des critères de sélection qui sont bien souvent liés au thème du dossier (objectif, contenu, niveau d'information, originalité), à l'information (validité, source, date), ou à la présentation (lisibilité, type de support, habitudes de lecture du demandeur, etc.).

Lorsque tous les documents utiles au dossier ont été sélectionnés, il ne reste plus qu'à les organiser. Organiser cela veut dire créer un plan ou un sommaire en classant les documents en deux ou trois grands thèmes permettant d'illustrer le dossier.

Il faut donc structurer un plan qui ne soit ni trop succinct, ni trop sophistiqué. Il faut qu'il soit logique et équilibré, il faut surtout qu'il permette au lecteur de comprendre immédiatement comment le dossier est constitué. Le plan est en quelque sorte l'ossature du dossier, ce qui doit d'un seul coup d'œil synthétique permettre de saisir la façon dont le dossier s'oriente.

Mettre en forme le dossier

Pour mettre en forme le dossier, plusieurs options sont possibles sur la manière de le présenter, mais la question centrale sera celle de la note : faut-il faire ou ne pas faire de note de présentation du dossier ?

Selon les cas on peut aller du plus simple au plus complexe : le dossier avec juste un sommaire rapide mais paginé, puis les documents organisés ou non selon le sommaire ; le dossier avec une note de synthèse, puis le sommaire, puis les documents ; une synthèse plus élaborée, suivie du dossier avec les documents.

Pour choisir le mode de présentation le plus adapté, il faut revenir à l'objectif de ce dossier et à son utilisation : pour qui a-t-il été construit et en vue de quelle utilisation ? Le demandeur est-il un lecteur habitué à faire lui-même ses synthèses ? Préfère-t-il avoir accès aux documents originaux sans intermédiaire ou au contraire attendra-t-il de vous que vous mettiez en valeur les informations essentielles pour lui éviter d'avoir à lire tout le dossier ?

Présenter un dossier avec simplement les documents organisés semble plutôt succinct, il est alors important de prévoir une note plus ou moins longue qui fonctionne comme une clé d'accès au dossier. Elle indique les thématiques des documents et l'angle de présentation choisi, elle permet aussi de mettre en valeur un certain nombre de documents plus pertinents que les autres, ou à lire en priorité.

Selon le type de note choisie, on aura donc au final un produit documentaire plus ou moins élaboré :
- une note de présentation d'une à deux pages suivie du sommaire et des documents organisés selon le plan choisi ;
- une synthèse de plusieurs pages sur le thème du dossier, également suivie des documents classés. Cette solution permet à l'utilisateur qui le souhaite de se contenter dans un premier temps d'une simple lecture de la note, sachant qu'il a sous la main les documents primaires ayant servi à la constituer ;
- un rapport de synthèse de plusieurs dizaines de pages, accompagné du dossier lui-même constitué simplement des documents organisés. Dans ce cas, on constitue un document hybride entre le dossier produit et la synthèse référencée. C'est souvent le type de produit élaboré pour illustrer un colloque par exemple.

Le choix entre les trois options se fera essentiellement à partir des attentes du demandeur, de ses habitudes de travail et de sa capacité de lecture.

◆ 3 Vendre et promouvoir ses dossiers produits

Le marketing du dossier

Comme tout produit documentaire, le dossier véhicule une image forte : celle du documentaliste et de sa compétence à réunir rapidement une information fiable, pertinente, sélectionnée et personnalisée ; celle du centre de documentation et de sa capacité d'information et d'apport de valeur ajoutée.

Il est donc essentiel de réaliser des produits finis, de qualité, avec une présentation soignée, mais avant tout adaptés à la demande qui a été faite.

La promotion du dossier peut se faire à deux moments bien distincts :
- en préalable, il faut rappeler que c'est un produit du centre de documentation, réalisable à la demande. Il s'insère donc dans le marketing plus global du centre de documentation lui-même ;
- quand un dossier a été réalisé et que le demandeur est satisfait du résultat, il doit alors être incité à faire lui-même la promotion du service rendu auprès de ses collègues.

Bien évidemment, si le dossier est vendu ou diffusé auprès d'un public externe, il s'agit d'une toute autre démarche, celle du marketing de tout produit marchand.

Le coût des dossiers

La vente des dossiers est possible parfois, mais sous certaines conditions :
- ce produit doit s'adresser à un public externe uniquement ;
- le dossier ne peut être accompagné des photocopies ou reproduction des documents originaux, protégés par le droit d'auteur, que s'il est en règle vis-à-vis de la loi sur la propriété intellectuelle.

Par contre, il peut être effectivement intéressant de calculer en interne le « coût » d'un dossier, simplement pour obtenir des informations chiffrées utiles au tableau de bord et au rapport d'activité annuel.

Pour calculer le coût d'un dossier, il faut prendre en compte les coûts directs (achats de documents ou d'informations, fournitures utilisées) et les coûts indirects (prorata des mètres carrés occupés, de l'électricité, des coûts d'exploitation du matériel informatique utilisé, des coûts de connexion, des abonnements, sans oublier la quote-part du salaire des personnes qui ont réalisé le dossier).

Il est alors intéressant de connaître le prix de ses dossiers, et d'inclure dans le tableau de bord annuel à la fois des indicateurs quantitatifs : nombre de dossiers réalisés, « coût » de ces dossiers, mais aussi des indicateurs qualitatifs : la satisfaction des demandeurs.

La démarche qualité

Il est essentiel de toujours mesurer le niveau de satisfaction des utilisateurs du centre de documentation. Afin d'évaluer – après remise du travail – si le demandeur a trouvé dans le dossier ce qu'il cherchait au départ et s'il en a eu un usage satisfaisant, il est conseillé d'instaurer une démarche qui se décline selon plusieurs degrés :
- démarche aléatoire ou systématique : soit on mesure de temps en temps la réaction des utilisateurs, soit on la mesure systématiquement après chaque dossier produit ;
- formelle ou informelle : on peut se contenter d'une interrogation orale des utilisateurs ou bien établir un guide de questionnement qui sera appliqué pour chaque dossier.

Tout dépend de l'importance de ces indicateurs pour l'activité du centre de documentation : si l'on envisage de baser le tableau de bord sur les produits documentaires, on mettra en place une démarche plus structurée que si l'on souhaite simplement avoir une vision générale de toute son activité.

Pour évaluer la satisfaction du demandeur, les questions portent sur son évaluation globale de la réponse donnée à sa demande, la lecture qu'il aura faite du dossier, l'usage qu'il a fait des informations qu'il y a trouvées, l'apport qu'il estime avoir reçu de ces informations, et son appréciation sur la sélection, l'organisation et la présentation du dossier.

Du dossier papier au dossier électronique

◆ 1 Informatiser la gestion des dossiers

Aujourd'hui, la plupart des centres de documentation sont informatisés. Mais ce n'est pas pour autant que tous les centres dotés de logiciels documentaires ont informatisé leur fonds de dossiers documentaires. Ainsi dans le secteur de la presse, par exemple, où sont encore gérés d'importants volumes de documents papier.

Qu'est-ce qui peut justifier le maintien d'un fonds papier ?

- Les habitudes et facilités de travail des documentalistes.
- La résistance naturelle de chacun au changement.
- L'absence de temps ou de budget à investir dans un projet souvent de grande ampleur.
- La présence largement majoritaire de sources sur papier. C'est bien souvent le fait de passer à des sources électroniques, notamment les revues en ligne, qui suscite le projet de mettre en place des dossiers électroniques. C'est finalement le changement de support d'acquisition qui mène au changement de produit documentaire.
- Les habitudes de travail des utilisateurs : quand ils sont très habitués à travailler sur des dossiers papier, il est difficile de les obliger à changer pour des dossiers électroniques (les journalistes, par exemple).
- Des problèmes de sécurité dans certains centres de documentation où l'on traite des documents confidentiels. La sécurité est parfois plus aisée à assurer pour les supports papier que pour des supports électroniques qui naviguent sur le réseau.

En fait, dans bien des organismes, le passage des dossiers papiers aux dossiers électroniques se fait progressivement, pour plusieurs raisons :
- l'augmentation du nombre de centres de documentation dont la gestion documentaire est informatisée ;
- l'évolution de la GED (gestion électronique de documents) ou GEIDE (ges-

tion électronique de documents et d'informations d'entreprise) et de toutes les technologies associées permettant de travailler efficacement sur des documents en texte intégral. Cela permet de mettre en place un archivage électronique des documents. Le texte intégral offre en outre la possibilité d'indexation automatique et la gestion d'une grande quantité d'informations (voir à ce sujet l'exemple des AGF pages 55 et suivantes);
- la création de normes et de techniques de structuration des documents qui permettent de se dégager du support et des logiciels (SGML, XML, métadonnées);
- l'impact d'Internet et des intranets qui amène les documentalistes à proposer leurs produits et services sous une forme électronique;
- les nouvelles habitudes de travail collaboratif: grâce aux concepts de *workflow* et de *groupware*, les utilisateurs eux-mêmes peuvent proposer des documents pour alimenter les dossiers;
- un public éloigné, distant, ou réparti sur plusieurs sites géographiques.

Pourquoi alors créer des produits électroniques?

Les raisons en sont nombreuses:
- la réduction des coûts, et une économie de moyens;
- la mise à disposition plus directe et plus rapide de la documentation;
- la disponibilité et une accessibilité hors des contraintes temps/espace;
- le partage de l'information en temps réel;
- l'amélioration de la qualité globale des dispositifs info-documentaires (nomadisme, personnalisation, etc.);
- une réflexion sur le positionnement de la documentation dans l'organisme (stratégie);
- la rationalisation des dispositifs d'information: le champ de la gestion de l'information s'élargit considérablement aujourd'hui au point qu'il paraît peu cohérent de voir coexister dans l'entreprise des structures qui semblent faire la même chose: archives, documentation générale (ou externe), communication, développement du site Internet ou du site intranet, documentation technique interne (et *records management*), etc.;
- la valorisation de l'image de la documentation (la rendre visible et « moderne »).

Lorsque l'on gère son fonds documentaire avec un logiciel adéquat, il est normal de trouver paradoxal d'avoir une partie du fonds – à savoir les dossiers – qui ne soit pas informatisée. Mais comment gérer l'informatisation des dossiers?

Deux possibilités s'offrent alors: choisir d'informatiser la gestion des dossiers grâce au logiciel documentaire, ce qui permet de traiter chaque dossier comme un document du fonds, et de réaliser une notice par dossier. Les documents insérés dans les dossiers (ou tout au moins les plus importants) peuvent également faire l'objet d'une notice spécifique.

Il est également possible de choisir de mettre en place un système de GED : chaque document sera alors acquis sous forme électronique ou numérisée pour être conservé sous forme de texte intégral. Cette solution est celle d'un fonds de documents électroniques qui permettra à chaque utilisateur de se constituer ses propres dossiers en fonction de ses besoins ; enregistrés sur disque dur, ils seront des dossiers numériques, imprimés, ils redeviendront des dossiers papier.

Mais, que la gestion documentaire soit informatisée ou non, on peut proposer la diffusion en ligne de dossiers documentaires électroniques.

◆ 2 Les dossiers électroniques

Les intégrer à l'existant

Si la différenciation entre produits et services documentaires était bien claire auparavant, il faut reconnaître que l'évolution récente des outils de travail donne aussi une image moins nette de cette séparation.

Ainsi la mise en ligne de dossiers sur l'intranet correspond-elle à un produit documentaire ou à un service régulier assuré par la documentation ?

De toute façon, cette démarche s'inscrit bien dans une médiation entre les professionnels de la documentation et leurs publics.

Comme tout produit documentaire classique, plutôt bien défini et même normalisé pour certains, les dossiers documentaires sont en train d'évoluer et on s'aperçoit que la terminologie fluctue aussi, avec des dénominations parfois très différentes pour des produits qui se ressemblent fort au final (dossiers et synthèses électroniques, par exemple), ou bien des appellations semblables pour des produits différents (dossier d'information et dossier documentaire).

En tout cas, comme nous l'avons vu dans les premiers chapitres, ces produits doivent avant tout être conçus pour remplir des fonctions précises auprès des utilisateurs et non pour expérimenter des outils vides de sens ou animer des espaces électroniques que personne ne visite...

Pour les dossiers documentaires électroniques, la démarche préalable de réflexion puis de mise en place respecte exactement les mêmes étapes que pour les dossiers papier. Ce n'est pas parce que le support change que toute la stratégie en amont s'en trouve modifiée. Il faut donc savoir repérer les attentes des utilisateurs et prendre en compte la demande d'information, qui porte en elle la potentialité d'un usage.

L'analyse des besoins est aussi une étape primordiale et elle se déroule de la même manière que pour tout autre projet.

Il est également important, lors de l'analyse des besoins, de vérifier comment les usagers s'informent actuellement, car ils peuvent très bien être abonnés à des sources d'information, voire consulter régulièrement des sites d'autres centres de documentation en ligne qui entreraient en concurrence directe avec le projet du centre de documentation.

L'une des questions auxquelles il faudra répondre est de savoir si les habitudes de travail des usagers favoriseront une consultation de dossiers réalisés et mis en ligne par le centre de documentation, ou si au contraire ils préféreront piocher au gré de leurs besoins dans une base en texte intégral.

Il est également important de bien positionner les dossiers électroniques par rapport aux produits documentaires déjà présents, qu'ils existent sous forme papier ou électronique : quelle sera la place des dossiers électroniques dans l'intranet, quelle sera leur complémentarité par rapport aux autres produits documentaires ?

L'analyse ainsi effectuée permettra de définir les modes de diffusion adaptés : rester sur des dossiers documentaires classiques sur papier, proposer une diffusion en ligne sur l'intranet, proposer la possibilité d'un téléchargement en ligne, envoyer systématiquement l'information par abonnements sur profils (DSI), n'envoyer l'information que sur demande, réaliser des supports d'archivage (cédérom, par exemple).

Qu'est-ce qu'un dossier documentaire électronique ?

Il existe principalement deux façons de proposer les dossiers par voie électronique.

La première, toute simple, consiste à disposer d'une classique base de documents numériques (texte intégral, images, etc.), que les usagers interrogent selon leurs besoins. Ils peuvent ainsi rassembler sur une même thématique des documents variés, et donc constituer « virtuellement » leur propre dossier documentaire.

La seconde solution est la réalisation de dossiers produits électroniques consultables ou téléchargeables sur le site du centre de documentation.

Bien entendu, ces deux options ne s'excluent pas mutuellement, et il est même possible de les faire cohabiter. Là encore, il peut exister plusieurs façons de procéder, il suffit de naviguer sur les sites de centres de documentation pour constater la multitude de produits différents qui se trouvent derrière l'appellation « dossiers documentaires ».

Les différents types de dossiers électroniques

Les caractéristiques du dossier numérique : tout comme un dossier outil, il est perpétuellement ouvert, mis à jour en continu, alimenté au fil de l'actualité. Mais, comme un dossier produit, il est fait « sur mesure », pour les besoins d'un certain type d'usagers, et réalisé à un moment précis lié à l'actualité. Une fois cette actualité dépassée, le dossier peut être supprimé. Mais il a également des spécificités liées à sa nature propre : l'information y est organisée pour faciliter la lecture à l'écran et la compréhension de l'utilisateur. Sa structure est celle d'un produit numérique, hypertextuelle et non linéaire.

La mise en forme de ces dossiers varie du plus simple au plus complexe. On peut ainsi distinguer cinq grandes catégories de dossiers électroniques.

◆ La simple liste de références classées par sous-thèmes : elle présente simplement les dossiers du centre de documentation, mais elle est très frustrante pour l'utilisateur qui ne peut pas accéder aux documents. Ce n'est rien de plus qu'une version écran du catalogue papier des dossiers et ressemble fort à une bibliographie thématique.

Un exemple en ligne : le dossier documentaire « Contraception, stérilisation, IVG » du CEDI de l'Inserm. Février 2001. www.inserm.fr/ethique/Ethique.nsf/0/02b4f2152e8c5f0ec1256869003899b2?OpenDocument

◆ La liste de références classées avec des liens d'accès aux documents : le dossier existe virtuellement : il comprend un titre, une date, une note de présentation, et les liens aux documents sont classés selon un sommaire. Simplement les documents ne sont pas directement insérés dans le dossier. Cette démarche présente des avantages techniques en terme de gain de place mémoire, et permet de respecter la loi sur le droit d'auteur si les liens sont correctement présentés.

Un exemple en ligne : dossier sur le développement durable, réalisé par l'association 4D. www.association4d.org/rubrique.php3?id_rubrique=24

Remarque : Ces deux premières catégories de dossiers présentent des exemples assez anciens des types de produits électroniques que l'on trouvait couramment il y a quelques années. Aujourd'hui, les trois catégories ci-dessous sont beaucoup plus répandues.

◆ Le dossier documentaire conçu pour l'écran : une note, un plan, un lien d'accès aux documents de toutes natures : pages web, textes officiels, sites, etc. Ici le dossier est organisé et présenté directement pour une lecture hypermédia.

Un exemple en ligne : la page d'accueil du dossier « Emploi-Jeunes » de l'Injep. www.injep.fr/Les-Emplois-jeunes-Fevrier-2003.html

◆ La liste de références avec analyse et liens d'accès : identique à la précédente, cette solution présente l'avantage d'offrir au lecteur une analyse des documents vers lesquels pointe un lien, ce qui lui permet d'opérer une présélection des documents susceptibles de l'intéresser.

Un exemple : le dossier « Hypermédias et apprentissage », sur le site de Educnet. www.educnet.education.fr/dossier/hypermedia/default.htm

◆ Le dossier produit complet est proposé à la consultation en ligne ou en téléchargement, avec les documents en texte intégral ; il est identique à sa version papier. Le plus souvent, ce dossier est proposé en téléchargement au format pdf.

Un exemple : www.injep.fr/IMG/pdf/engagement.pdf

Créer et gérer un dossier électronique

Avant de créer des dossiers numériques, une première étape, en équipe, sera de définir tous les éléments éditoriaux concernant ces nouveaux produits : ergonomie, charte graphique, responsabilité de la réalisation, critères d'ouverture d'un nouveau dossier, éléments indispensables, etc.

Puis viendra le moment de la collecte, sélection et mise en forme des informations.

Les principales difficultés :
- délimiter la thématique du dossier : on n'est ni dans le cas du dossier outil (une thématique trop large, un trop grand nombre de documents qui tous n'intéresseront pas les utilisateurs), ni dans le cas du dossier produit puisqu'au lieu de répondre à une demande précise d'un utilisateur on anticipe le besoin d'un groupe d'utilisateurs ;
- choisir les bonnes sources d'information, pour offrir une information de qualité, et choisir toutes les sources intéressantes par rapport à la thématique du dossier ;
- ne pas sélectionner trop de documents, ce qui risque de perdre le lecteur du dossier, ni trop peu, ce qui rendrait le dossier peu pertinent ;
- enfin, trouver l'organisation adéquate en fonction de la thématique, des types de documents (pages web, sites, articles, images, etc.), et de la structure hypertexte du dossier lui-même.

Un autre élément spécifique aux dossiers électroniques mis en ligne, sur l'Internet comme sur l'intranet : il n'y a plus de notion d'édition ou de réédition. Le produit est en ligne et y reste... tant qu'il n'est pas retiré. Et il est bien facile de l'oublier, alors qu'un travail de mise à jour est souvent indispensable pour conserver un produit de qualité. Il faut donc penser à régulièrement vérifier ce qui doit être diffusé, mis à jour et validé, ou retiré car obsolète ou inutile ! Et savoir aussi qui s'en occupe : veiller à l'aspect organisationnel de cette surveillance qui prend du temps sans sembler toutefois directement productive. On pourrait donc dire que le « désherbage » doit aussi se faire sur les supports électroniques !

Il faut également penser à vérifier très régulièrement la validité des liens, soit en désignant une personne responsable, soit en faisant l'acquisition d'un logiciel spécialisé.

Les contraintes spécifiques

Si le support électronique donne l'impression que presque tout est possible techniquement (document en texte intégral, multimédia, liens profonds) pour rendre l'usage des dossiers documentaires plus attrayant, il existe toutefois un certain nombre de contraintes à respecter, ou au moins à connaître, pour décider en toute connaissance de cause: les contraintes juridiques (voir chapitre suivant), les contraintes d'ordre ergonomique, et les contraintes d'ordre documentaire.

Les contraintes ergonomiques

Indépendamment des contraintes techniques de format et de structuration éventuelle du document électronique, les dossiers documentaires électroniques sont directement concernés par des aspects ergonomiques en rapport avec la taille de l'écran d'ordinateur et avec le mode de communication spécifique au web. Il y a deux éléments principaux à prendre en compte: d'une part l'œil ne lit pas sur l'écran comme sur le papier (la perception de l'information, le cheminement sont différents), d'autre part la structure arborescente induit de nouveaux modes d'accès à l'information.

Le médium Internet a apporté des enrichissements par rapport à l'usage du document sur papier (qui constituait il y a encore peu 90 % des supports documentaires):
- l'hypertexte qui permet de naviguer de pages en pages. Il impose aux documentalistes de créer pour leurs produits électroniques une structure qui n'a plus rien à voir avec la linéarité du papier. En effet, il n'y a pas qu'un seul parcours de lecture possible, mais une multitude de parcours que le lecteur peut choisir ou non d'exploiter. Cette particularité est donc très intéressante pour des dossiers documentaires puisque l'hypertexte permet de naviguer directement dans les documents à partir du sommaire, sans respecter forcément l'organisation prévue à l'origine. Un document hypertexte semble infini: il offre ainsi la souplesse de modifier et mettre à jour les dossiers électroniques, d'y ajouter assez facilement des documents. Mais, en même temps, cette complexité de navigation peut perdre le lecteur dans les méandres des liens, et il est donc plus que jamais nécessaire de structurer correctement son dossier et d'offrir au lecteur sur chaque page la possibilité de revenir au sommaire général ou à celui du chapitre, voire de proposer, comme sur les dossiers d'Educnet par exemple, d'accéder uniquement aux mises à jour. L'efficacité de la structuration de l'information est ici indispensable pour un usage facilité de la densité du dossier;
- le multimédia qui, en combinant textes, sons et images fixes ou animées, propose une mise en espace qui dépasse la simple édition textuelle;
- l'interactivité qui d'une part autorise le dialogue, et d'autre part raccourcit les temps de réponses;
- la personnalisation qui apporte un plus indéniable quand elle est utilisée à bon escient et tire éventuellement le dossier documentaire vers la DSI.

Afin de transformer les contraintes ergonomiques en atouts facilitant l'usage des produits documentaires électroniques par l'internaute, il est conseillé de connaître un peu les modes et habitudes de consultation de son public : utilise-t-il Internet pour faire des recherches d'information ou simplement pour consulter des sites ? Est-il parfaitement à l'aise en lecture sur écran (ou bien préfère-t-il imprimer pour lire) ? Etc.

Il faut également garder à l'esprit que nous ne sommes pas encore très familiers de la lecture sur écran, qu'elle est fatigante et que bien souvent nous imprimons les documents les plus longs pour les lire sur papier. Le parcours d'un hypertexte est plus exigeant parce que la question de la pertinence d'un lien est sans cesse interrogée. L'internaute navigue de page en page et retient les informations intéressantes à mesure : il « butine » comme disent les Québécois. Un document conçu et prévu pour l'écran est plus facile d'accès que la transposition simple d'un document papier qui impose une lecture linéaire, l'utilisation abusive de l'« ascenseur » ou de la molette de la souris, et qui finit par conduire le lecteur à imprimer le document pour mieux le lire.

Quelques règles simples pour faciliter la lecture à l'écran (voir notamment les travaux de Joëlle Cohen [9][10]) :
- privilégier la « polarité positive » (caractères foncés sur fond blanc ou pâle) qui se rapproche plus de ce qu'on trouve sur la plupart des documents imprimés. Ne pas abuser des animations ou des couleurs trop voyantes ;
- respecter la charte graphique du site sur lequel les dossiers sont hébergés ;
- rubriquer bien plus que sur un produit papier : découper les informations en blocs distincts et autonomes, chaque module comprenant idéalement une idée, notion ou sujet ;
- rédiger des textes courts et mettre les idées fortes ou les conclusions d'abord (qui attirent l'œil) selon le principe journalistique du « chapeau » où les toutes premières phrases reflètent au mieux le contenu de la page ;
- structurer les textes avec titres et sous-titres explicites pour faciliter la lecture rapide, et utiliser les listes. Penser aussi à mettre en gras ou surligner les mots importants afin qu'ils sautent aux yeux plus aisément. Structurer les textes plus importants de façon à rythmer la lecture à l'aide de paragraphes, de lignes blanches, de retraits ;
- prévoir, s'il y a lieu, la possibilité de télécharger les textes longs (au-delà de deux à trois pages écran) sous format pdf ou avec une version imprimable qui retire les frames, par exemple ;
- éviter de découper les pages de texte linéaire par un lien de « suite » qui rend la lecture hachée et l'impression fastidieuse.

Les contraintes d'ordre documentaire

Elles sont évidemment les mêmes en terme de qualité que pour les produits papier. Mais il est vrai que le format électronique induit parfois des habitudes ou des négligences que le professionnel de l'information doit combattre : tout produit documentaire classique diffusé sous forme papier est généralement daté. Cela semble une règle de base dans le métier. On pourrait supposer que les dossiers mis en ligne obéissent aux mêmes règles. Or, on constate que ce n'est pas toujours le cas : il est courant de voir des dossiers documentaires non datés. Il est essentiel que la date de création d'un dossier soit visible dès la page d'accueil, mais aussi sa date de mise à jour. Sur certains sites on trouve aussi une date très utile de vérification de la validité des liens.

Les documents au format électronique, et qui n'ont pas d'équivalent papier, peuvent être l'objet de référencement. Bien qu'il existe une norme bibliographique internationale sur le sujet [30], il faut reconnaître qu'elle n'est encore que rarement respectée et que beaucoup de « webmestres » semblent déboussolés pour citer correctement une référence en ligne. Le problème se pose d'ailleurs de la même façon pour des dossiers papier citant des documents en ligne !

Gérer le changement

Quand on veut mettre en place une informatisation ou si l'on souhaite créer des dossiers électroniques, il est nécessaire d'avoir conscience que toute modification profonde – des supports, des méthodes et de l'organisation du travail – peut induire certains problèmes, souvent perçus comme des réticences :
- une tendance très humaine à refuser tout changement ou à être angoissé par une perspective de changement (« on sait ce que l'on perd mais on ne sait pas vraiment ce que l'on va gagner ») ;
- une crainte de se voir dépossédé de son « espace de pouvoir », de se faire concurrencer par une personne que l'on estime – à tort ou à raison – plus compétente, d'où la crainte d'être alors considéré comme incompétent ;
- une difficulté à percevoir le virtuel (ressources électroniques, liens avec les utilisateurs à distance, etc.), et à préférer le matériel (papier, présence physique des utilisateurs) ;
- une crainte enfin que les usagers ne perçoivent plus (ou encore moins) le côté invisible de l'iceberg documentaire (« s'il n'y a pas d'étagères bien remplies, alors on ne sert à rien »).

Un changement trop rapide et non réfléchi au sein de l'équipe et de l'organisme peut faire courir le risque bien réel d'erreurs longues et coûteuses ensuite à réparer. Voici une rapide liste de ce qu'il convient d'éviter :
- vouloir intégrer trop de complexité technologique dans le produit mis en place ;
- se laisser entraîner par la technologie au détriment du besoin de l'usager ;
- vouloir à tout prix transférer les dossiers papier en dossiers électroniques, sans analyse préalable, en négligeant les contraintes techniques, juridiques et de charge de travail ;
- vouloir trouver toutes les solutions tout seul, sans aller voir ce qui se fait ailleurs ni associer les compétences complémentaires (informaticien, webmestre, etc.) existant au sein de son organisme ou de son entreprise ;

- oublier que c'est le projet d'une équipe documentaire, et négliger alors de prendre en compte les réticences des autres.

Pour bien vivre le changement, il est conseillé d'identifier avec soin les enjeux de la mise en place des dossiers électroniques et de s'y préparer. Et enfin ne jamais oublier d'évaluer et de maîtriser les conséquences économiques, organisationnelles, sociales et humaines des solutions susceptibles d'être retenues au final.

Un dossier électronique n'est pas la transposition à l'écran d'un dossier papier, c'est au contraire un produit totalement nouveau, qui doit être conçu comme tel.

En guise de conclusion, on peut rappeler que le travail des documentalistes évolue profondément et rapidement depuis quelques années tant dans l'organisation d'une équipe documentaire, dans sa façon de travailler et dans ses outils, que dans ses relations avec ses publics. Au principe d'accumulation-concentration documentaire, on voit progressivement succéder celui de la gestion fluide, sélective et intelligente du trop-plein d'information ; d'une gestion de stocks on passe désormais à une gestion de flux. L'adaptation à ces changements se fait d'autant mieux qu'ils sont prévus, analysés et acceptés en connaissance de cause.

Dossiers documentaires et droit de l'information

◆◇◆

◆ 1 Droit d'auteur, droit de copie, propriété intellectuelle... : de quoi parle-t-on ?

La propriété intellectuelle rassemble les droits conférés à un individu pour toute création intellectuelle. Mais de nombreux droits connexes y sont liés.

Quelques définitions relatives au droit d'auteur

Le droit d'auteur est défini par la loi du 11 mars 1957 sur la propriété littéraire et artistique. Il protège toutes les œuvres (non seulement les textes, mais aussi les dessins, tableaux, etc.) à condition qu'elles soient « originales », c'est-à-dire qu'elles aient nécessité un effort de création, de créativité de la part de l'auteur.

Contrairement aux inventions qui imposent un dépôt de brevet à l'INPI (Institut national de la propriété industrielle), il n'est pas nécessaire d'effectuer une quelconque démarche pour protéger son œuvre, le droit d'auteur étant inhérent à la création de celle-ci.

Le droit d'auteur se divise en :
- droits moraux : ce sont des droits qui sont inaliénables et incessibles, et qui ne concernent pas la reproduction. Ils existent pour toujours et garantissent le respect de l'œuvre et de son auteur ;
- droits patrimoniaux qui sont au nombre de quatre, mais dont seuls deux concernent plus particulièrement le documentaliste : les droits de reproduction et de représentation de l'œuvre, qui appartiennent à l'auteur mais qui peuvent être cédés, vendus ou transmis et qui concernent directement le problème de la copie. Ce sont les droits qui justifient la rémunération de l'auteur. Ils cessent 70 ans après la mort de celui-ci et l'œuvre tombe alors dans le domaine public.

Le non-respect des droits patrimoniaux, et donc la copie abusive de documents ou d'images, sont qualifiés de contrefaçon, et passibles de sanctions.

Droit de reproduction et droit de copie

Personne ne peut reproduire une œuvre sans l'autorisation de l'auteur (sauf dans certaines conditions que nous verrons plus loin). Le droit de reproduction est donc un droit qui appartient à l'auteur.

Lorsque l'on parle du droit de copie, on se place plutôt du côté de l'utilisateur qui aimerait apporter un certain nombre d'assouplissements à la rigidité du droit d'auteur.

Le droit de reproduction a été complété par la loi du 3 janvier 1995, qui a mis en place la possibilité d'une cession des droits à une société de gestion collective ; en l'occurrence, en France, la plus connue est le CFC (Centre français d'exploitation du droit de copie), pour les ouvrages et revues papier, mais il en existe d'autres (cf. pages 51-52).

Que peut-on alors reproduire librement ?

◆ Les œuvres dites du domaine public : ce sont celles dont l'auteur est décédé depuis plus de 70 ans. Mais, même pour ces œuvres, les droits moraux persistent, il faut donc respecter l'auteur et l'intégrité de son œuvre.

◆ Les œuvres dites exclues du droit d'auteur : ce sont celles qui appartiennent à la communauté (les actes officiels, les textes de loi et les décisions de justice).

◆ Quelques exceptions au droit d'auteur autorisent une libre reproduction :
- tout d'abord l'usage privé d'une œuvre par un particulier. Mais cet usage ne s'entend jamais dans un contexte professionnel ;
- les analyses, telles que celles qui sont élaborées par les critiques d'art ou de cinéma. Cela implique dans la rédaction du document un jugement critique de la part d'une personne sur l'œuvre d'une autre personne. Par conséquent les synthèses ou résumés documentaires, par définition neutres, n'ont pas leur place dans ce contexte ;
- les courtes citations : leur taille très imprécise se définit plutôt par rapport à l'œuvre dont elles sont issues (contrairement à une rumeur très répandue dans les centres de documentaton, il est clair qu'il n'existe en droit français aucune règle qui permet de reproduire librement jusqu'à 10 % d'une œuvre). Leur utilisation est bien encadrée : elles doivent être issues d'œuvres divulguées ; elles doivent respecter les droits moraux de l'auteur ; elles ne s'appliquent qu'aux textes (elles ne sont donc pas valables pour des extraits musicaux ou des reproductions partielles de tableaux, par exemple) ; elles doivent être présentées dans un objectif d'information, d'analyse, de critique ou de pédagogie ; elles ne doivent pas dissuader de consulter l'œuvre citée ; elles doivent être clairement délimitées (guillemets ou typographie différente) et la source doit être mentionnée ;
- les revues de presse, au sens journalistique du terme, et non, hélas, au sens documentaire du panorama de presse ;
- les discours d'actualité (uniquement diffusés par voie de presse ou de télé-

diffusion, jamais dans un produit documentaire) ;
- les sommaires de revues (plus tolérés que réellement libres).

Le droit de l'information

Il existe d'autres aspects juridiques qui relèvent du droit de l'information ; s'ils concernent le documentaliste, ils sont peu applicables aux dossiers documentaires :
- le droit des personnes qui protège les individus contre les informations qui pourraient leur nuire. Dans les médias, il relève de la responsabilité commune du documentaliste qui constitue ses dossiers documentaires « biographies » et du journaliste qui les utilise ;
- le droit à l'image qui encadre, par exemple, les photographies qu'un documentaliste peut faire de sa salle de consultation avec un public ;
- la protection des données nominatives : tout fichier contenant des noms de personnes, comme un fichier des emprunteurs par exemple, ou des abonnés à la revue de presse, doit être déclaré à la CNIL (Commission nationale Informatique et libertés).

Propriété intellectuelle, informatique et Internet

Le fait de travailler sur des bases de données, sur des documents électroniques ou sur Internet ne change rien à la loi française sur la propriété intellectuelle. Elle s'applique aussi bien pour les supports électroniques, numériques, optiques, magnétiques que pour les supports papier.

Pratique des bases de données

Il s'agit, pour les documentalistes, des bases de données constituées pour gérer le fonds documentaire : sont concernées ici les notices des documents du centre de documentation. Lorsque l'on rédige la notice d'un document, la rédaction du résumé peut poser un problème :
- soit on souhaite reprendre un résumé d'auteur, et dans ce cas il faut lui demander l'autorisation de reproduire son résumé. Cela concerne également la quatrième de couverture d'un livre. De même, « retoucher » un résumé existant constitue une atteinte à l'intégrité de l'œuvre ;
- soit on rédige un résumé documentaire qui est alors une œuvre à part entière, à condition qu'il ne soit pas une succession de « courtes citations », ou une reprise du plan du texte source ; il s'agit donc plutôt ici de résumés synthétiques que de résumés indicatifs, qui eux peuvent être considérés comme illicites.

La responsabilité du fournisseur d'informations

À partir du moment où l'on met de l'information en ligne pour un public (catalogue du fonds, produits documentaires électroniques, etc.), s'applique la responsabilité du fournisseur d'informations. Cette responsabilité peut être :

contractuelle, c'est-à-dire qu'un contrat écrit ou tacite lie le fournisseur de l'information et son utilisateur; civile sans contrat (« délictuelle » au sens de l'article 1382 du Code civil), c'est-à-dire que toute information qui cause un préjudice à un tiers oblige son auteur à réparation (dommages et intérêts); pénale, c'est-à-dire engageant pénalement le fournisseur d'information par rapport aux informations qu'il diffuse, en fonction d'une infraction prévue par les textes (diffamation, injures, etc.). Dans tous les cas, il faut s'assurer de la validité, de la véracité et du caractère licite des informations diffusées.

Le droit d'auteur sur support électronique

La notion de support, qu'il soit électronique ou papier, ne change rien au droit d'auteur: la reproduction est encadrée par les mêmes règles que nous avons vues précédemment. Cela implique que tout changement ou transfert de support (numérisation, archivage électronique, gravure de cédérom, etc.) est assimilé à une reproduction, et qu'il faut donc avoir un accord de l'auteur, ou avoir réglé ses droits dans les mêmes conditions que pour la photocopie (les exceptions au droit d'auteur sont identiques).

◆ 2 Quelles conséquences pour les dossiers?

Le cas des dossiers documentaires avec texte intégral

Il s'agit soit de notre fonds classique de dossiers outils, soit des dossiers produits papier, soit de dossiers électroniques dont le texte intégral des documents peut être téléchargé (en format pdf par exemple).

Trois cas de figure sont alors possibles:
- un contrat passé avec le CFC permet la reproduction pour toutes les sources et utilisations prévues au contrat (mais uniquement pour des ouvrages et revues, et exclusivement pour une diffusion papier dans le cas où la revue n'a pas concédé ses droits électroniques au CFC);
- pour toutes les autres sources, et pour les documents électroniques, il faut négocier au cas par cas avec les auteurs ou leurs représentants (cf. page suivante);
- une libre reproduction est permise pour les œuvres du domaine public, les œuvres exclues ou celles faisant exception au droit de copie.

En aucun cas, le fait d'avoir des abonnements papier ne permet d'en faire des photocopies pour alimenter des dossiers.

Les autres types de dossiers électroniques: citations et liens

C'est aussi en partie à cause de ces difficultés liées au droit de copie que les dossiers électroniques se sont développés. Mais pour diffuser en ligne des produits qui utilisent des analyses, citations ou liens hypertextes, il faut également respecter un certain nombre de règles liées à la propriété intellectuelle.

Les dossiers électroniques avec citation ou analyse des documents

C'est alors la règle des exceptions au droit de copie qui s'applique comme pour les documents papier.

Les dossiers électroniques avec liens hypertextes

Un lien hypertexte permet d'atteindre la page d'accueil d'un site, une page au sein d'un site ou encore un objet que l'on peut éventuellement télécharger comme une image ou un document en format pdf. Ce lien va soit rediriger le lecteur vers un nouveau site, soit permettre d'ouvrir une fenêtre contenant l'information en question.

Le problème réside alors essentiellement dans le flou qui en résulte pour le lecteur quant à la paternité de l'information qu'il consulte : va-t-il se rendre compte que l'information nouvelle qu'il est en train de lire n'a pas été rédigée par l'auteur de la page sur laquelle il se trouvait précédemment ? Ce qui signifie qu'un lien est tacitement autorisé lorsqu'il pointe sur une page web (sauf si ses auteurs en ont expressément interdit le référencement et/ou si l'accès est protégé), et qu'un lien profond doit être clairement référencé, toujours dans l'esprit de bien baliser le parcours pour son lecteur.

La règle de base étant de permettre un maximum de clarté, les cadres ou *frames*, c'est-à-dire les fenêtres qui s'ouvrent pour rapatrier un document ou un texte sur un site, sont sujets à caution. Il ne faut en aucun cas qu'ils laissent croire aux visiteurs que l'auteur en est le service de documentation ni, d'autre part, que la présentation en dénature les pages ou porte atteinte aux droits moraux de l'auteur.

Bien entendu, la responsabilité du fournisseur d'informations s'applique également, et il ne faut jamais créer des liens qui pointent vers des sites illicites ou vendant des produits interdits, par exemple.

Auprès de qui négocier ?

Pour toute reproduction de documents, qu'elle soit sous forme de photocopie, d'impression, ou pour toute diffusion de documents en ligne sur l'intranet ou sur un site Internet, il est important d'être en règle avec la loi, et donc d'obtenir des autorisations, soit gratuites, soit payantes, pour tout ce qui concerne le droit de reproduction et le droit de représentation des œuvres.

Les droits patrimoniaux de l'auteur, qui sont ici concernés, peuvent également avoir été cédés, vendus ou transmis. De plus la multiplicité des transferts sur différents supports peut amener une succession de cessions des droits qui complique la tâche du documentaliste soucieux d'identifier le possesseur des droits patrimoniaux. Il existe ainsi plusieurs pistes possibles.

Les trois principales sociétés de gestion collective

◆ L'ADAGP (Société des auteurs dans les arts graphiques et plastiques : peinture, sculpture, photographie, multimédia) gère également un certain nombre de droits pour les images. Il est possible de faire des demandes d'autorisation ponctuelles en ligne et de vérifier, dans sa base de données auteurs, si une œuvre est libre de droits.

◆ Le SESAM gère les droits d'auteur attachés aux exploitations multimédias. Il regroupe plusieurs sociétés comme l'ADAGP, la SACD (Société des auteurs et compositeurs dramatiques), la SACEM (Société des auteurs, compositeurs et éditeurs de musique), et la SCAM (Société civile des auteurs multimédia). La SDRM (Société pour l'administration du droit de reproduction mécanique des auteurs, compositeurs et éditeurs) est également membre de SESAM.

◆ Le CFC (Centre français d'exploitation du droit de copie), dont il faut ne pas confondre les attributions :
- en ce qui concerne l'imprimé, le CFC propose un certain nombre de contrats selon la nature des activités de l'organisme, de l'usage prévu interne ou externe, du type de photocopies utilisées, du type de produits documentaires élaborés. Mais le CFC papier ne couvre pas toutes les œuvres (seuls les ouvrages et un certain nombre de revues) et ne concerne que les photocopies papier ;
- pour certains usages du numérique, le CFC est mandaté, au coup par coup, par certains titres de presse (450 environ). Tous les titres de périodiques ne sont donc pas couverts, loin de là.

Les agrégateurs de presse

L'abonnement à un serveur de bases de données de presse (tel que Pressed, Cedrom SNI avec Europresse, etc.), comprend en général les autorisations de reproduction pour les titres de presse qu'il offre, mais uniquement pour ces titres, et pour une utilisation interne (sur l'intranet en général).

Les abonnements électroniques

Tout contrat d'abonnement électronique, que ce soit un abonnement à une revue en ligne, un abonnement à une base de données ou à un serveur de presse, doit prévoir en toutes lettres les droits de reproduction et de représentation des informations auxquelles l'abonnement donne accès. C'est au documentaliste de négocier son contrat en fonction de ses besoins.

Dans tous les autres cas

Si les documents à reproduire ne sont ni gérés par une société de gestion collective, ni prévus dans des contrats spécifiques, il faut alors négocier au cas par cas directement avec l'auteur ou avec les personnes auxquelles il a cédé ses droits patrimoniaux (éditeurs, producteurs, etc.), ou avec les personnes morales ou avec les employeurs des auteurs (pour les logiciels, par exemple).

Conclusion

Au terme de ce tour d'horizon des différentes formes que connaissent désormais les dossiers documentaires, arrêtons-nous quelques instants sur l'évolution d'un produit qu'on pouvait estimer fragilisé avec l'arrivée des technologies de numérisation et de diffusion électronique.

Essentiellement apparu lors de la période d'inflation informationnelle de l'ère papier, le dossier documentaire traditionnel aurait pu ne pas survivre à l'émergence du « tout électronique ». Largement développés pendant la période faste où les centres documentaires ne connaissaient pas encore trop les restrictions budgétaires, les dossiers outils auraient pu sombrer à la suite de la réduction des équipes documentaires, voire de l'éclatement des centres de ressources en micro-documentations spécialisées. Tout au contraire, on s'aperçoit que la pratique des dossiers documentaires n'a jamais été aussi vivace, tout en observant une évolution évidente tant dans la fonction que dans la forme.

Le dossier documentaire électronique s'est largement imposé dans des milieux de travail fort différents, sans toutefois détrôner le dossier « papier » qui perdure dans un grand nombre de centres de documentation. En fait, la gamme des déclinaisons possibles du même produit s'est élargie, dépassant ainsi l'ambivalence (surtout créée dans un but pédagogique) entre « dossier outil » et « dossier produit ». On trouve désormais des produits en ligne qui empruntent à ces deux types de dossiers. De nouvelles formes apparaissent, hésitant parfois entre la synthèse, la bibliographie, la liste de sites, etc., qui renouvellent le genre sans vraiment le dénaturer.

Le dossier documentaire électronique peut surprendre (de façon positive ou négative) les professionnels de l'information-documentation rompus à l'usage physique du papier par son aspect dématérialisé et par la rupture éventuelle du contact humain avec l'utilisateur. Mais il instaure en fait une relation différente avec l'usager/demandeur. Il met aussi en avant une qualité phare de notre profession : le travail sur le contenu. En effet, là où le binôme « texte + contexte » des outils papier (comme les photocopies d'articles) était en soi porteur de sens à cause de la mise en page et de l'impact éditorial et graphique des documents constituant le dossier, la mise en ligne électronique recentre l'usager sur le simple contenu informationnel du document qui peut se présenter à l'écran sous une forme différente de sa version papier (cf.

le cas classique des articles de presse avec la version multimédia différente de la version imprimée). Hormis la numérisation à l'identique et le format pdf, le dossier documentaire en ligne privilégie souvent le contenu brut au couple plus classique « contenu - contexte », et il doit aussi tenir compte des contraintes ergonomiques d'une lecture sur écran pour que l'usager apprécie justement la richesse du contenu. Ce qui en fait au final un produit à haute valeur ajoutée, et intellectuellement intéressant à composer.

Car le dernier trait de l'évolution perceptible du dossier documentaire, c'est qu'il s'inscrit dans un espace de liberté et de créativité. En effet, la documentation en général et la version électronique de ses produits en particulier laissent un large champ ouvert à l'imagination et au mélange des genres, où la typologie des produits est plus souvent à visée pédagogique que réellement normative. On peut ainsi percevoir les nouvelles technologies comme ouvrant sur un formidable espace de liberté et de créativité qui permet de s'affranchir de certaines habitudes lourdes de travail répétitif. Les formules de productions d'informations documentaires deviennent à la fois plus souples et plus facilement renouvelables.

Nous avons donc la chance en documentation de pouvoir pratiquement créer tous les produits souhaités sans nous soucier d'un trop plein de normes ou de règles à respecter, hormis la satisfaction de l'utilisateur à un coût professionnel raisonnable ! Fournir la réponse la plus adaptée possible aux besoins de nos utilisateurs devient LA consigne essentielle, mais les moyens pour l'atteindre sont désormais bien plus variés. En témoigne l'utilisation d'un nouvel outil – à la fois créatif et économique – comme support du dossier documentaire : le *blog* ou *weblog* (voir les exemples référencés page 59).

L'actuelle évolution des dossiers documentaires prouve que l'adaptabilité mais aussi l'imagination sont plus que jamais des qualités indispensables dans les services documentaires.

Étude de cas
L'évolution de la politique de dossiers documentaires aux AGF

Aux Assurances générales de France, il existe trois centres documentaires dans lesquels travaillent sept documentalistes. Ces trois centres, AGF, AGF Vie et AGF Collectives se complètent et couvrent tout le secteur de l'entreprise : l'assurance, la finance, l'économie, le droit, ainsi que l'environnement sectoriel et concurrentiel des AGF.

Le fonds documentaire est constitué de 6 400 ouvrages, d'études, de rapports sectoriels. Il existe également environ 200 abonnements à des titres de presse, autrefois sous forme papier, et aujourd'hui en grande partie sous forme électronique.

Les documentalistes alimentent une base de données qui répond à 5 000 requêtes mensuelles en moyenne, et effectuent sur demande des recherches plus complexes et plus approfondies (environ 90 par mois).

Jusqu'en 1997, le centre documentaire a géré un important fonds de dossiers outils papier, puis l'arrivée en 1998 de l'intranet a généré une refonte des services proposés qui a complètement modifié la stratégie de mise à disposition des dossiers documentaires.

De 1980 à 1997, les dossiers documentaires papier

Les dossiers outils

Au nombre de 800 environ, ces dossiers outils, sous format papier, étaient constitués principalement d'articles de presse, de textes juridiques, de documents officiels et de documents de communication.

Le fonds de dossiers comptait six grandes thématiques, et chaque dossier comprenait un classement interne chronologique d'une part, avec si besoin quelques sous-thèmes supplémentaires d'autre part.

Un grand nombre des articles sélectionnés pour les dossiers (80 %) y étaient également analysés puis indexés (à l'aide d'un thésaurus de 6 500 termes) et enfin résumés en vue d'alimenter la base de données Sydoc. Ces articles, complets et dignes de figurer dans la base de références documentaires, étaient cotés (une cote alphanumérique du dossier outil) et ainsi le documentaliste cherchait dans un seul dossier l'article demandé par une personne qui avait interrogé la base et qui disposait de sa référence. Chaque article ne figurait que dans un seul et unique dossier (pas de photocopie).

Les dossiers étaient également référencés dans la base, chaque dossier étant traité comme un objet du fonds. Une notice catalographique comprenant quelques champs simples (créateur, date de saisie et de mise à jour, localisation, cote, domaine, descripteurs, géographie, sociétés, résumé) permettait de décrire le dossier.

De nouveaux dossiers outils étaient créés en fonction de l'actualité ou de nouveaux centres d'intérêt de l'entreprise. De même, parfois, il fallait refondre le plan de classement de certains grands thèmes pour affiner le classement. Par exemple, un dossier devenu trop volumineux pour consultation comme Environnement ou bien Distribution était « éclaté » en plusieurs dossiers (Pollution maritime, Pollution atmosphérique, etc., ou bien Techniques de distribution, Modes de distribution, etc.).

Les dossiers produits

Une centaine de dossiers produits étaient réalisés chaque année, sur demande des utilisateurs (chargés de projet, juristes, etc.). Par exemple, le marché de l'assurance en Amérique latine ou bien les nouveaux modes de distribution en assurance.

Chaque demande donnait lieu à une recherche, dans le fonds documentaire ou à l'extérieur si besoin. Les documents sélectionnés pouvaient être des articles, mais aussi des résultats d'interrogation de banques de données, des bibliographies, des photographies, etc. Les documents étaient organisés et le dossier mis en forme, mais ils n'étaient pas accompagnés d'une synthèse ou d'un résumé.

Une fois réalisé, le dossier était remis au demandeur en un seul exemplaire et, s'il revenait au centre documentaire, il était « détruit ».

Depuis 1997, l'intranet a profondément modifié la politique documentaire

En 1997, l'arrivée d'Internet, la création du site web des AGF et surtout la mise en place de l'intranet un an après modifient considérablement l'attitude et le comportement ainsi que les besoins des salariés qui seront beaucoup plus nombreux potentiellement à rechercher de l'information professionnelle.

Le projet d'intranet documentaire, dont le site est appelé « Ressources documentaires », se concrétise pendant le début de l'année 1998, et fédère les trois centres documentaires des AGF. Le site ouvre au public interne en septembre 1998 et rencontre très vite un succès grandissant. La communication de cette rubrique se fait directement depuis la Une de l'intranet et parfois par quelques articles écrits dans la presse interne.

Les solutions techniques choisies

Les documentalistes avaient depuis toujours pour objectif d'offrir à leurs utilisateurs l'accès le plus libre et le plus étendu possible aux ressources du fonds documentaire. Leur slogan était d'ailleurs « le libre accès à l'information ». Mais le système informatique utilisé pour Sydoc n'était pas accessible à tous les salariés et ne fournissait que des références de document.

Au début de 1998, les technologies et les choix stratégiques de l'entreprise le permettant, il a donc été décidé d'offrir aux usagers la possibilité de consulter le texte intégral des documents.

C'est le logiciel Spirit (version 2 depuis fin 2000) qui a alors été choisi pour réaliser le projet d'intranet documentaire. Aujourd'hui, après de nombreuses refontes et améliorations, le site « Espace Doc » est constitué de :
- une base généraliste, composée d'ouvrages, d'articles et d'études. Seuls les ouvrages référencés dans Sydoc ont été repris (et les notices complétées), tous les articles anté-

rieurs à juin 1998 ont été supprimés, après enquête auprès des principaux utilisateurs qui ont de toute façon la possibilité de récupérer des documents plus anciens *via* les abonnements électroniques des centres. Cette base, au cœur de l'intranet documentaire contient actuellement plus de 40 000 documents ;
- un répertoire de sites web avec commentaires sur leur contenu ;
- une base de chiffres, d'indices, de statistiques provenant de diverses sources certifiées et présentés sous tableaux Excel ;
- le catalogue des notes et circulaires de la Fédération française des sociétés d'assurances sur plusieurs années ;
- un site « Actualités juridiques » proposant des références de sites, des notes internes, des dossiers électroniques, des lois essentielles, etc. ;
- une information quotidienne sur l'actualité intéressant les AGF (veille informative).

D'autre part, la plupart des abonnements aux revues ont été reconduits sous forme électronique (et parfois papier pour vérification) afin de pouvoir télécharger directement le texte intégral des articles et réduire ainsi les travaux de numérisation (logiciel Omnipage pour cette activité).

Les choix techniques effectués ont permis d'offrir aux usagers :
- un accès au contenu intégral du document et non plus à sa référence, ainsi qu'à des sites Internet (tous les formats de documents électroniques sont accessibles sur « Espace Doc ») ;
- un accès permanent (24h/24, et 365j/365) et à distance pour tous les salariés par le biais de l'intranet ;
- la possibilité d'effectuer leurs recherches en langage naturel, ce qui représente un certain confort pour des non-spécialistes de l'interrogation (l'indexation des documents se fait automatiquement par le logiciel au moment de l'incorporation dans la notice Spirit).

Les conséquences pour les dossiers documentaires

POUR LES DOSSIERS OUTILS

Le travail quotidien des documentalistes a tout d'abord été modifié : les critères de sélection des documents en vue de les intégrer dans la base ont été renforcés, pour ne plus sélectionner que des articles de fond et à durée de vie plus longue. De même, les brèves en texte intégral y figurent maintenant. L'indexation manuelle a été supprimée (plus d'actualisation du thésaurus). Enfin, pour la mise à jour, seule est faite l'élimination des documents dans la base alors qu'auparavant il fallait concilier le désherbage physique et électronique des documents dans le dossier et de la référence dans la base.

Tous les dossiers documentaires outils ont été supprimés en une seule fois à l'automne 1998, quand l'intranet documentaire a ouvert et que les intranautes ont compris la nouvelle offre de produits.

POUR LES DOSSIERS PRODUITS

Des dossiers produits sont réalisés directement sous format électronique et sont proposés sur l'intranet documentaire. Ce sont pour l'essentiel les dossiers juridiques. Ils ne sont pas élaborés sur demande mais correspondent à la perception d'un besoin lié à l'actualité ressenti par les documentalistes-juristes.

Proposé sur l'accueil de la rubrique « Actualités juridiques » de l'intranet documentaire, chaque dossier électronique est composé de rubriques thématiques : législation, jurisprudence, documentation professionnelle, presse, liens utiles. Les derniers documents d'actualité sont toujours en haut de page du dossier électronique. Chaque dossier comprend un titre, un sommaire sur lequel on peut cliquer, une date de mise à jour, puis toutes les références des documents classées par rubrique. Chaque référence comprend un lien pour accéder au texte intégral de la ressource.

Aujourd'hui, les utilisateurs, en interrogeant la base de données à partir de différents critères, peuvent directement constituer leurs propres dossiers documentaires. Ils apprécient leur autonomie pour la constitution de leurs dossiers produits. Néanmoins, certains utilisateurs sollicitent toujours les documentalistes qui leur adressent par courrier électronique un dossier produit élaboré (courriel comprenant un sommaire avec pièce attachée).

Enfin, des dossiers documentaires produits sont toujours réalisés sous forme papier sur demande des utilisateurs. Cela reste assez rare, car la politique des documentalistes est de promouvoir la consultation de la base documentaire sur l'intranet et la libre sélection de documents !

Au titre des projets à venir, le centre documentaire pense proposer sur « Espace doc » des dossiers en ligne sur des sujets tels que les catastrophes naturelles en France et dans le monde (inondations, cyclones, etc.) ou les résultats semestriels des compagnies d'assurances, par exemple.

Il faut enfin rappeler que si cette volonté de supprimer les dossiers sous format papier a pu se concrétiser en 1998, c'est en raison du public concerné par la documentation aux AGF. Les journalistes, en particulier, ne pourraient se contenter d'un seul accès électronique au document car ils ne verraient pas distinctement la place de l'article dans la page du journal, par exemple. D'autres utilisateurs pourraient ne pas apprécier l'obligation de consulter en ligne la documentation avant toute autre démarche. Connaître son public et ses attentes est donc indispensable.

Biblio-sitographie

Documents consultables en ligne

[1] Les produits documentaires électroniques. Site élaboré par Françoise Quaire et Clotilde Vaissaire. http://prodocelec.galilo.info

[2] DossierDoc, utilisation des blogues pour des dossiers documentaires. Sylvie Dalbin. http://dossierdoc.typepad.com/

[3] Immatriculation des véhicules particuliers, dossier documentaire sur le nouveau système d'immatriculation des voitures français. Blogue réalisé par Sylvie Dalbin. http://dossierdoc.typepad.com/immatriculation/

[4] Dossier documentaire sur le DIF (droit individuel à la formation). Blogue réalisé par Clotilde Vaissaire. http://dossierdocdif.blogspirit.com/

[5] Les enjeux des NTIC et du document numérique en réseau pour les métiers de l'information et documentation. Jean Michel. http://michel.jean.free.fr/publi/JM327.html

[6] Clients, agences, éditeurs/ comment gérer ensemble les abonnements aux périodiques ? Vade-mecum élaboré en juin 2005 par l'ADBS, l'ADBU, le GFII, le SNIEL et la FNPS. www.adbs.fr/site/publications/texte_ref/vade-mecum_abonnement.pdf

Articles

[7] Patrice Bertrand. Gestion de contenu : les grands principes. *Archimag*, février 2005, n° 181, p. 26-28

[8] Marie-Anne Chabin. Essai de définition universelle du dossier. *Document numérique*, 2002, vol. 6, n° 1-2, p. 159-175

[9] Joëlle Cohen. L'écran efficace : trois lois fondamentales de la perception visuelle. *Documentaliste - Sciences de l'information*, septembre 2000, vol. 37, n° 3-4, p. 192-198

[10] Joëlle Cohen, Xavier Casanova. L'écran efficace : une approche cognitive des objets graphiques. *Documentaliste - Sciences de l'information*, décembre 2001, vol. 38, n° 5-6, p. 272-289

[11] Dominique Cotte. Épaisseur documentaire et numérisation : le cas des dossiers d'actualité dans la documentation de presse. *Document numérique*, 2002, vol. 6, n° 1-2, p. 13-28

[12] N. Hoizet. GED, et gestion de contenu Web : l'offre pour les PME-PMI. *Archimag*, mai 2005, n° 184, p. 42-46

[13] Ressources électroniques : faites votre marché [dossier]. *Archimag*, juin 2004, n° 175, p. 21-32

[14] Tout sur la presse en ligne [dossier]. *Archimag*, novembre 2004, n° 179, p. 19-27

[15] Zéro papier, fiction ou réalité ? [dossier]. *Archimag*, octobre 2004, n° 178, p. 21-28

Ouvrages

[16] Jean-Philippe Accart, Marie-Pierre Réthy. Le métier de documentaliste. 2e éd. Éditions du Cercle de la Librairie, 2004

[17] Arlette Boulogne, en collaboration avec Sylvie Dalbin. Comment rédiger une bibliographie. Armand Colin, ADBS Éditions, 2005

[18] Serge Cacaly (dir.). Dictionnaire de l'information. Armand Colin, 2004

[19] Agnès Caron, en collaboration avec Arlette Boulogne. La synthèse : produit documentaire et méthode pédagogique. ADBS Éditions, 1997. [Épuisé]

[20] Viviane Couzinet, Patricia Huvillier, Paul-Dominique Pomart, Dominique Velten, Le dossier documentaire : conception, réalisation, valorisation. ADBS Éditions, 1994. [Épuisé]

[21] Sylvie Fayet-Scribe. Histoire de la documentation en France : culture, science et technologie de l'information, 1895-1937. CNRS Éditions, 2000

[22] INTD-ER ; Arlette Boulogne (coord.). Vocabulaire de la documentation. ADBS Éditions, 2004

[23] Brigitte Juanals. La culture de l'information : du livre au numérique. Hermès science publications, Lavoisier, 2003

[24] Mireille Lamouroux, Françoise Quaire, Clotilde Vaissaire. Réussir l'épreuve de dossier documentaire au CAPES de documentation et aux concours de chargé d'études documentaires. ADBS Éditions, 2001

[25] Yves Le Coadic. Le besoin d'information : formulation, négociation, diagnostic. ADBS Éditions, 1998. [Épuisé]

[26] Yves Le Coadic. Usages et usagers de l'information. Armand Colin, ADBS Éditions, 2004

[27] Christian Lupovici, Gabriel Gallezot, Didier Frochot, Marie-Élise Fréon, Joël Poivre, Catherine Lupovici, Gérard Boismenu, Guylaine Beaudry, Annaïg Mahé. Guide pratique : les publications électroniques. IDP Archimag, 2003

[28] Claude Morizio. La recherche d'information. Armand Colin, ADBS Éditions, 2005

[29] Suzanne Waller, en collaboration avec Claudine Masse. L'analyse documentaire : une approche méthodologique. ADBS Éditions, 1999

Normes

[30] Norme NF ISO 690-2. Information et documentation – Références bibliographiques – Partie 2: Documents électroniques, documents complets ou parties de document. Afnor, 1998

[31] Recueil de normes françaises: documentation. Tome 1: présentation des publications, traitement documentaire et gestion des bibliothèques. Tome 2: catalogage. 5e éd. Afnor, 1993

Mémoires

[32] A. Baquet. L'évolution d'une structure documentaire face aux mutations de son environnement: développement de l'usage des TIC, développement des produits et services électroniques. Mémoire INTD n° 31-07, 2001

[33] E. Bryas. Les nouveaux dossiers documentaires en ligne du CIDIC et leur impact sur le travail des documentalistes. Mémoire INTD n° 31-14, 2001

Méthodologie d'enquête

[34] Anne-Marie Arborio, Pierre Fournier. L'enquête et ses méthodes: l'observation directe. Armand Colin, 2005

[35] A. Blanchet, A. Gotman. L'enquête et ses méthodes: l'entretien. Armand Colin, 2005

[36] Claude Poissenot, Sophie Ranjard. Usages des bibliothèques: approche sociologique et méthodologie d'enquête. Presses de l'ENSSIB, 2005

[37] F. de Singly. L'enquête et ses méthodes: le questionnaire. Armand Colin, 2005

Questions juridiques et droit de copie

Pour rester en permanence à jour sur ces questions en constante évolution, il est utile de consulter régulièrement des sites spécialisés sur le droit de l'information et de la documentation: www.defidoc.com, www.adbs.fr/site/publications/droit_info/index.php, http://artic.ac-besancon.fr/juridique/ (aide et conseils juridiques autour des TICE), www.educnet.education.fr (veille juridique), etc. Voir aussi les sites du GESTE (www.geste.fr/), du CFC (www.cfcopies.com), de l'ADAGP (www.adagp.fr) et du SESAM (www.sesam.org).

Logiciels de gestion documentaire ou de Ged

Le site de Biblio On Line, le monde des bibliothèques: www.biblionline.com

Le site de l'Association des bibliothèques départementales de prêt recense un grand nombre de diffuseurs de logiciels documentaires: www.adbdp.asso.fr

Les outils de la GED et de l'ingénierie linguistique recensés par le ministère de la Culture: www.culture.gouv.fr/culture/dglf/rifal/repertoire-outils.htm#gestion

ADBS ÉDITIONS
Extraits du catalogue
Catalogue complet: www.adbs.fr, rubrique « Travaux et publications »

Le management de l'information: présentation commentée du document de normalisation X50-185, par Éric Sutter. 2005

Les archives ouvertes: enjeux et pratiques. Guide à l'usage des professionnels de l'information. Sous la direction de Christine Aubry et Joanna Janik. 2005

Vade-mecum des chercheurs d'images: petit guide pratique à l'usage des iconographes et des recherchistes. 2e éd. coordonnée par Isabelle Julien et Marie-Odile Perulli (secteur Audiovisuel de l'ADBS) en collaboration avec l'Association nationale des iconographes (ANI). 2005

Externalisation et sous-traitance dans les services d'information: état des lieux et perspectives, ouvrage coordonné par Isabelle Martin, Hind Mesloub, Florence Muet et Christine Pellat (ADBS Rhône-Alpes). 2004

La gestion documentaire: évolutions fonctionnelles et description de dix logiciels, par Michèle Lénart (Tosca Consultants). 2004

Publier sur Internet, séminaire INRIA, 27 septembre – 1er octobre 2004. Ouvrage coordonné par Jean-Claude Le Moal, Bernard Hidoine et Lisette Calderan. 2004

Vocabulaire de la documentation, par l'INTD-ER, ouvrage coordonné par Arlette Boulogne, en collaboration avec Sylvie Dalbin et Catherine Lermyte (INTD-ER). 2004

L'accès à l'information électronique: le contrat en questions, par la commission Droit de l'information de l'ADBS, ouvrage rédigé par Michèle Battisti. 2004

Euroréférentiel I&D. Volume 1: Compétences et aptitudes, Volume 2: Niveaux de qualification des professionnels européens de l'information-documentation, par l'European Council of Information Associations (ECIA). 2004

Réussir l'épreuve de sciences et techniques documentaires au Capes de documentation: éduquer à l'information, par Odile Riondet. 2003

Les techniques documentaires au fil de l'histoire: 1950-2000, par Jacques Chaumier, en collaboration avec Florence Gicquel. 2002

Le management de l'information dans l'entreprise: vers une vision systémique, par Christiane Volant. 2002

La recherche d'information sur les réseaux, cours INRIA, 30 septembre – 4 octobre 2002, Le Bono, ouvrage coord. par Jean-Claude Le Moal, Bernard Hidoine et Lisette Calderan. 2002

Actualité des langages documentaires: fondements théoriques de la recherche d'information, par Jacques Maniez. 2002

Documentation, information, connaissances: la gestion de la qualité, par Éric Sutter. 2002

Recherches récentes en sciences de l'information: convergences et dynamiques, sous la direction de Viviane Couzinet et Gérard Régimbeau, 2002

Jean Meyriat, théoricien et praticien de l'information-documentation, textes réunis à l'occasion de son quatre-vingtième anniversaire par Viviane Couzinet. 2001

Thésauroglossaire des langages documentaires: un outil de contrôle sémantique, par Danièle Dégez, Dominique Ménillet. 2001

Impression : Compédit Beauregard s.a.
61600 La Ferté-Macé

Dépôt légal : 1er trimestre 2007

N° d'Imprimeur : 927